子どもが不登校になったら読む本

すべて解決できる〝笑顔の処方箋〟

Clover
クローバー出版

まえがき

こんにちは。はじめまして。ｒｉｋａです。

私は、夫と子ども２人の４人家族のママです。


娘の中学受験が終わり、その2年後には息子の中学受験も終わり、「やれやれだー。やっと一区切り！」と肩の荷を下ろしていたタイミングで、突如訪れた息子の「不登校」。


当時は、不登校の子を持つママは私の周りには１人もおらず、私もその現実をなかなか受け入れることができませんでした。

毎朝目覚める時には、悪夢が終わっていてくれと願いながら目を開けてみる。それでも、昨日までとは状況は何も変わっていない。

ため息からの１日がスタート。

息子が不登校になった当初、そんな鬱々とした日々を過ごしていました。

毎日、目の前の子どもの様子に絶望し、自分の子育てを責め、夫婦関係も悪くなり、家庭がとてもツラくてしんどいものになって……。

子どもへのいろんな対応を試みても、ますます状況は悪化。ドツボにハマっていき、「なぜ私はダメなんだろう」とさらに自信を失い、毎日苦悩していました。

それでも、なんとか解決せねばと1人必死で戦って疲弊し、どうやっても出口の見えない現実に絶望。

そんな中でようやく、まずなんとかしなければならないのは自分自身だと気づきました。

本書を手に取ってくださった方の中には、不登校ママだけでなく、子育てそのものに悩んでいるママもいらっしゃると思います。

講座や本などで子育てについていろいろ学んできたのに思うように生かせていない方や、その知識や対応法に囚われてますます拗らせているママも多いのではないでしょうか。

子どもを腫れ物扱いし、子どもとの関係性で悩み、子どもへの接し方に右往左往。

そして、不機嫌なパパに気を遣い、意見の合わないパパとの関係性にも悩み、パパと子どもの間に立って緊張し……。

さらに、子育てへの後悔と自責の念、子どもの将来への不安、世間体や体裁を取り繕うことに疲れメンタルが弱っている。

そこに、家事や仕事は普段通りこなしていかなければならない。

ツラいと言っている場合じゃない！

頑張って子どもをなんとかせねば！

常に気を張り、終わりのない葛藤と苦悩の毎日。

当時の私はこんな感じでした。

そして、たくさんの子育て本を読みました。

ずっと必死で追い立てられるように子育てしてきた私にとって、本は苦悩する私に、子育てに対しての新しい気づきや視点をもたらしてくれました。

知識は本来、思考の幅を広げて人生を豊かにしてくれる素晴らしいものです。

なのに、当時の私は、それらを実際の家庭の中で生かしていくことがまったくできませんでした。

結局その時は、どんな素晴らしい本も、母親として不甲斐ない自分を責める材料になっていたのでした。

過去の私のように、子育てに行き詰る自分を責め、自分のツラさや不安を押し殺して疲弊しているママはたくさんいらっしゃるはず。

でも、そんなママが、子どもへの関わり方や声かけだけを変えたとしても、子どもを元気づけることはできないし、子どもとの関係も、さらには状況だって変わらないのは当たり前なのかもしれません。

まずはママ！　と私はブログでもよく書いていますが、**子どもを何とかする前に、それをしようと苦悩しているママ自身をまずなんとかするのが最優先です。**

子どもに寄り添いたいのに寄り添えない。というママがとても多いですが、それは自分の心に余裕がないから。

そういう時は、まずは自分の気持ちに寄り添って、自分のツラさが癒えて心が元気になるのが先。

大怪我している人が、大怪我している人を助ける余力がないみたいに、まずは自分の傷を癒して元気になってから、相手の傷を癒せるのだと思います。

私たちは神ではなく、ただの人です。

子どもと同じように、ツラくなるし悲しくなるし不安になります。

だから、正しい対応とか、こうすべき！　の前に、ママはそんな自分にまずは寄り添ってあげてください。


子育て本はたくさん出版されており、その多くは、子どもとの向き合い方や、子どもにどう対応していけばよいのかという視点で書かれています。

ですが、それらはどんなにすばらしい教えであったとしても、それをするママが疲弊していてはきっと生かしていけないはずです。


今回、私は、ママ自身がどうすれば元気になれるのか、どうすれば本当の笑顔で家族と関われるのか、そのために具体的に何をどうしていけばいいのかを本書でわかりやすくまとめました。

心が元気になったママなら、きっと、自信を持って子育てをし、子どもやダンナさんと関わっていかれるのだと思います。

そんな家庭の中で子どももまたしっかりエネルギーチャージして、自分で考え自分で決めて自分の力で前に進んでいくのだということを、たくさんのママを見てきて実感していますし、私自身も体感しています。

また、セッションや講座を受けてくださった方やオンラインサロン「rika's cafe」のメンバー、その子どもたちを見ていて確信していることでもあります。

心が元気なママは、居心地よい家族関係の中で自信と信頼を持って子どもと関わっていく。そして、子どももまた自分の人生を意欲的に進んでいく♡

私は、子どもの「不登校」「ひきこもり」を経験していることもあり、不登校ママがたくさん相談に来てくださるので、今回、不登校ママという視点で執筆させていただきました。


ですが、本書は、「不登校ママ」だけでなく、

「子どものことで不安・ツラさ、悲しみをこらえながら苦悩しているママ」

「子育てに自信が持てず、様々な子育て講座で学んだことをなかなか生かせていないママ」

「親子関係・夫婦関係がうまくいかず、家族との関わりに悩むママ」等、

「自分も子どももっとラクにハッピーに生きたいと願うすべてのママ」に、ぜひ自分自身を見つめるヒントにしていただけたらと思います。


すべてのママと子どもたちが、心からの笑顔で前に進んでいかれることを心から願っています。

もくじ

059 第2章 不登校の子に大切なのは〇〇のエネルギー

127
第4章 家族との関係

第1章

人生の中に突然やってきた子どもの不登校

不登校になるということ

子どもの不登校。
これは、ママにとっては、まさに青天の霹靂。
まさか！　マジか？
なんでうちの子が？
こんな気持ちになる方が、ほとんどなのではないかと思います。

うちもそうでした。

私の場合、身近にそんな子はいなかったし、この子は本当に不登校になってしまったんだ……と分かっていながらも、その事実をなかなか受け入れることができませんでした。

不登校なんて、受け入れて諦めてしまったら終わり！

早期に学校に戻してしてしまえば、誰にもバレずに、不登校なんて事実はなかったことにして、サラッと通常通りに戻れるはず。

今はたまたま学校を休む日が数日続いているだけで、これは世間でいうような不登校ではない。


私は頑なに、不登校という事実を受け入れませんでした。


だから、最初は「不登校」というワードをインターネットで検索しなかったし、どこかに相談しようとも考えませんでした。

夫にさえ、「大丈夫！　すぐなんとかなるから！」と大口をたたきながら、それを自分にも言い聞かせていたのでした。

私は今までの自分の人生で、どんな困難も自分で乗り越えてきたと自負していました。
幼いころから1人で悩み葛藤し、自分で答えを出して、自分で決めて、その責任も全部自分で背負ってきたつもりでした。

だから、
今回だって、私ならなんとかできる！
私が知恵を絞れば大丈夫！
とにかく、まずはこの非常事態を一刻も早く普通の状態に戻さねば！
と、最初のころはツラい気持ちよりも、ヤル気がみなぎっていた気がします。

とりあえず、なんとかまた学校に行かせることさえできたら……。
そしたらすべてはまた元通り。きっと大丈夫！

私がなんとか解決してみせる！

夫婦でもそんな風に話し合い、私は日々、解決策は何かないかとずっと思案していました。

この時は、「不登校は、学校にまたちゃんと行くようになればそれで解決」。そう思っていました。

不登校・ひきこもりの現状

今は、不登校というのは目新しい特殊な事ではなくなってきています。

以前、うちの息子が不登校になる前、たまたま読んだ記事に「不登校の子どもが年々増加している」と書かれているのを見て、全然ピンと来なかったのを覚えています。

その時は、不登校なんてどこか遠いところの話だと思っていたし、私の人生には一切関係のないことだと思っていました。

ですが、それから間もなくして、私の息子も、年々増加しているデータの1人としてカウントされることになるのです（笑）。

文部科学省の統計によると、2019年には小中学校の不登校の生徒は前年から2万人増え、16万人を超えました。高校生を入れると20万人以上にのぼるといわれています。

数字で書くと分かりにくいですが、これは小学生では全児童の0・7％、中学生では全生徒の3・6%、高校生では全生徒の1・7%が不登校ということになり、中学生は、実に27人に1人が不登校ということになります。

そんな中、社会は、新しい学び方や生き方の多様性を受け入れる方向に進んでいます。

最近では、コロナ禍であちこちの学校にオンライン授業が導入されました。

また、ここ数年で、小中学生向けのフリースクールがたくさん設立されたり、中学卒業後の進路の1つである通信制高校も増えました。

たとえば、角川とドワンゴが経営母体のN高等学校、ホリエモンが設立したゼロ高等学院など、これからの時代を見据えて新しい学びができる新たな概念の学校が誕生しています。

また、新しい学科も増えています。最近流行りのコンピューターゲームをスポーツ競技として極めるｅスポーツ科や、プログラミング・ＩＴ分野に特化した学科も、多くの通信制高校に設置されています。

これらにも時代の変化を感じます。

少し前までは、通信制高校はネガティブな選択肢という感じだったのが、今は新しい学びの場として積極的に選択している子どももいるほどです。

そんな中、２０１８年、文部科学省が「不登校対応」についての指針を大きく変更しました。

今までずっと当たり前だった「登校する」という結果のみを目標としていた指導から「再登校だけがゴールではない」という方針に大きく転換したのです。

戦後からずっと続いてきた「団体の中で、みんなと同じように決められたことをきちんとさせる教育」から、「個々の特性や才能を尊重する教育」に変化してきたのだということは、国の対応や社会の変化を見ていてもひしひしと感じます。

今はもう、不登校は、子ども個人の問題ではなく社会の中でも大きなテーマであるということです。

だけど、もし……。

自分の子どもが、もし実際不登校になってしまったら……？

うちの子が不登校に……

もし、自分の子どもが実際不登校になってしまったら……。

それはもう話は別！

たとえ、社会の流れが「団体の中で、みんなと同じように決められたことをきちんとさせる教育」から、「個々の特性や才能を尊重する教育」に変化してきたのだとしても、時代だと言って納得できないし、受け入れることもできない。

学校ぐらいは普通に行ってちょうだいよーーーー！

ママの本音はこんな感じじゃないでしょうか。

先ほども書きましたが、私は息子の不登校をなかなか認めることができませんでした。

だから、ひたすらもう一度、学校に行かせようと必死でした。

ママの価値観

「再登校だけがゴールではない」と言われても、じゃあ、それ以外何がある？　不登校で将来どうするの？　など現実的な不安や心配は尽きません。

それに、小学生・中学生については学校以外の居場所はまだまだ整っておらず、不登校の子の多くは家庭の中で過ごしています。

中学生ならお留守番もさせられますが、小学校低学年のママは、子どもが不登校になったことで、仕事をやめたり、ひたすら子どもの遊び相手をせざるをえない、というのも小学生不登校ママあるあるです。

子どもが不登校になり、昼間、本来なら学校に行っている時間帯に家に子どもがいる、そのせいで仕事も行けなくなった！

不登校なんて受け入れたくないのに、子どものご飯を3食作り、学校とのやりとりもし、夫とも意見が合わず険悪になり、近所の目も気になり外出もしたくない！

実家の親（子どもの祖父母）にも説明しづらく、ママ友にも会いたくない！

子どもが不登校になったことから、数珠つなぎにいろんな悩みが噴出し、ママにとっての苦悩と葛藤が始まります。

というか、私がそうでした。

私の世代は、「頑張っていい学校に行き、いい会社に就職する」ということを目指して必死で頑張り、いろんなことを我慢して、「将来のために」と親から言われ、そう信じて生きてきた方が多いです。

この本を読んでくださるママは、皆さんそうだと思います。

そんな私たちにとって、不登校、中退、通信制高校など、**自分の常識とは違う生き方はなかなか受け入れることができません。**

また、周りのみんなが当たり前にやっていることができない。ということに対して、なんでうちの子だけが？　という焦りもあります。

子どもが親の自分でさえ経験したことがないことをし、当たり前の道から外れ、自分の想像できない世界を生きるなんて、どう考えても不安と心配しかありません。

しかも、自分の周りにそんなことで悩んでいるママがいない！

ママ友はみんな、子どもの話といえば、中間テストの点数や模擬テストの順位、どこの塾がいいか、部活でインターハイに出場する話、担任の話、志望校の話など……、当たり前の話題だけれど、今の自分にはどれも贅沢すぎる悩み。

「学校ってどうやって行かせるの？」

そんなことを共感して話し合えるママ友がいない！
どう考えても不登校なんて、世間の常識から大きく逸れてしまっている。

やっぱり学校を休むなんてよくない！
なんとか学校に戻さねば！

学校に行かせるために私がやってみたこと

先にも書いた通り、私は子どもが不登校になったすぐは、とりあえず行けば解決と思っていたので、どうやって学校に戻すか？　その策をいつも練って実行していました。

たとえば、

●脅す

行かないとどんな悲惨な未来になるか、行かないとどんな大変なことになるかを切々と語り、怖がらせて行かせる作戦。

➡ますます息子を追い詰め、自分の未来はもうないんだ、人生おしまいだ！と思わせてしまい、絶望の淵へ追い込んでしまう結果となった。

●自分の体験談を語る

ママもあなたの気持ち分かるよ！　ママにもそんな経験あるよ！　など、今思うととっても浅いアドバイスをしていた。

➡もちろん響かない。

●なだめる

みんなツラいし、みんな休みたいけど、みんな頑張っている。今までだってあれだけ頑張ってきたんだから、これからだってもっと頑張れるよ。と勇気づけたつもりになっていた。

➡みんなと同じことができなくなっている息子には、ますます劣等感を抱かせることになり、もっと頑張れなんて、頑張れなくなった息子をただゾッとさせただけだった。

●褒める

なんでも褒めた。小さなことも見逃さず、とにかくおだてた。

⬇もちろんそんなことで学校に行くわけもなく……。見え見えの魂胆で息子を辟易させただけだった。

●小芝居をうつ

夫は、毎日厳しく息子に学校に行くように言っていた。叱責する夫、それを優しくなだめてフォローする私。「まあまあパパ、ちょっと落ち着いて！　明日から本人はきっと行くつもりでいるんだからもう許してあげて！ねぇ！　行くんだよね？」こんなふうに、刑事ドラマの鬼刑事から守る優しい刑事みたいな小芝居を私は1人でやっていた。

⬇息子は、冷めた無感情の目で私を見ているだけだった。私も虚しかった。

●物で釣る

最初はゲームの課金で釣った。そのうち、ゲームソフトになり、物で釣れなくなると、今度はゲームの時間制限もした。学校に行かないなら取り上げ、行けばゲームをまた返してあげるということもした。

⬇最初こそ有効だったが、とうとう最後は息子は力なくゲームを私に差し出してきて、もうゲームも何もいらないからほっといてほしい、と悲しい顔をしていた。私はそんな息子を見て、交換条件を突き付けている自分のサイテーさに自己嫌悪に陥った。

●罪悪感を抱かせる

私は時々体調が悪いふりをした。本当に体調は悪かったけれど、それを息子に当てつけみたいにしていた。どれだけ自分がママにツラい思いをさせているかを分からせたかったから。そうしたら反省して、また学校に行ってくれると信じて。

⬇でも、息子がますます追い詰められていくのを見て、これも本当に私は自己嫌悪の嵐だった。

●頼む

本当にサイテーだった。お願いだから行って！　ママを困らせないで！と泣きながら懇願してみた。

⬇これは、言った自分も傷ついたし、息子をさらに傷つけた。

学校に戻すという目的のためにとにかく焦っていた私は、短期間に日替わりでいろいろ実践し、いろんな手法を試しました。

でも、結局はダメでした（当たり前だけど）。

なんでも自分で解決してきたつもりだったのに、今回ばかりは自分の無力さを痛感し、そこでやっと本を読んだり、インターネットで不登校を検索したりし始めました。

不登校解決のために

私はそれから、Amazonや本屋で不登校関連の本を探し求めました。並んでいるほとんどが専門家の著書が多く、カウンセラー目線、医者目線、心理学者目線の本などで、それらは、不登校の子どもへの対応や子どもの心理、理想の関わり方について書かれていて、内容も素晴らしいものばかりで新しい知識やマニュアルが頭の中にどんどん増えていき、理解も深まりました。

そして、今までの自分勝手な言動を反省し、子どもを受け入れようと努力し、本に書かれているような子どもへの声かけや対応に変えていきました。

毎日、Amazonで何かの本はポチっていたので、日々ポストに届く本やインターネットで、専門家の意見をどんどん読み漁りました。

しかし、そうして知識が増えるにつれ、頭では分かっているのにまったく心が追い付いていない自分に気がつきました。

ぎこちなくうわべだけの声かけや、小手先の対応をしている自分。

子どもの自己肯定感を上げるために、引きつった笑顔で「生まれてきてくれてありがとう」「あなたは大切な宝物だよ」と言ってみたこともありました。

本心では、「マジで一体何をやっているの？　みんなちゃんと学校に行っているでしょ？　なんであなたにはそんな当たり前のことができないの？」「なんでこんな子に育っちゃったんだろう？」と思っているわけだから、「生まれてきてくれてありがとう」なんて、心にもないそんなうわべの声かけはもちろん子どもには響かないし、あとから自分がツラすぎて1人で号泣したこともありました。

そうやって、**頭ではいろいろ分かっているのに、理想の対応ができない、心が追い付かない、不登校という現実についていけない自分にどんどん苦しくなっていったのでした。**

その時には、どんな素晴らしい専門書も読めば読むほど、親としてちゃんと対応できていない不甲斐ない自分を責める材料になっていました。

どんどんドロ沼化していく家庭環境

私は、不登校初期、息子とどう向き合っていいかわからなくなりカウンセリングに申し込みました。そして、その中で、何とかしなければならないのは息子ではなく自分自身ということに気づくきっかけをいただきました。

同様に、子どもが不登校になり、悩んで悩んで1人ではどうしようもなくなると、カウンセラー、心理士、ソーシャルワーカー、児童精神科の医師、いろんな専門家に相談される方が多いと思います。

そして、そのアドバイスに助けられたり、ママの気持ちがホッとしたり、子どもへの対応のヒントになったり、実際、そのおかげで親子関係がよくなったり、また子どもが学校に通うようになった方もいらっしゃると思います。

ですが、それとは逆に、ますます疲弊し、混乱し、迷走してしまう方もたくさん見てきました。

以前、とっても疲弊しているママとお会いしました。

その方は、いろんなカウンセリングを受けたり、たくさんの病院をまわったりして、まさに**カウンセリング・ジプシー**。

自分でもそうおっしゃっていましたし、日本全国の有名な児童精神科、思春期外来、著名な先生のカウンセリングなどの予約を取り、半年先まで予定を入れているとおっしゃっていました。

そして、お会いした先生がおっしゃる方針に毎回従い、その都度、専門家に言われるままに子どもに対応されていました。

「子どもには連絡事項を伝えるだけでＯＫ！」

「親と子の上下関係をハッキリ分からせるために世間話もするな！」

「学校に行かない日は罪悪感を抱かせるために目を合わせてはいけない！」

と言われたらそのように対応してみたり。

翌週は、別のところで、

「愛情不足なのでしっかり愛情を伝えてあげてください」

「抱きしめてあげてください。それが子どもには一番効果があります」

と言われたら、リビングにいる思春期の息子を背中からギュッと抱きしめてみて、生まれてきてくれてありがとう、と言ってみる。


そしたら、「なんやねん？　キモイんじゃ！　二度と近寄るな！」と、自室にひきこもってしまったり。

さらに、「親が自分を受け入れてくれているかどうかを試しているのです。だから、なんでもわがままを聞いてあげてください」

と言われたら、本当にいいんだろうか？　と思いながらもパソコンや最新ゲーム機、小型冷蔵庫など欲しいというものはなんでも買ってあげる。

気が付けば何十万円も出費していたり。


病院では、本人が診察にいないにもかかわらず、不登校というだけで「この薬は感情が鈍り不安がやわらぐ。これを飲ませたら学校に行ける子が多い」と、本人不在のままお薬を処方されて、子どもに「これを飲んだら心が落ち着いて学校に行けるよ」と言ったら、「不安で行けないんじゃない！　行きたくないんだ！」と言われたり。


そしてまたその翌週は、別のカウンセラーさんに、

「ただ子どもを観察しましょう！」

と言われ、子どもとのやりとりをひたすらノートに記録し、添削してもらって、

正しい会話のレクチャーを受けたり。

とにかく、どれもしっくりこないけれど、どの方も専門家だし……。と、いろんなアドバイスに振り回されて、もうわけが分からなくなる。

ママが疲弊し、対応もコロコロ変わり、ママがブレブレになると、ただ学校に行っていないだけの不登校の子どもとの関係がどんどんこじれて、部屋から出てこなくなってしまって……という方が時々いらっしゃいます。

そんな方は、もしかしたら多いかもしれません。

自分が、「これが正解だ！」と分かっていることについては、誰に何を言われようが、正しい！　と貫き通せるけれど、子どもへの対応、考え方、心の話になると、たちまち自信がなくなります。

ましてや、自分は子どもを不登校にしてしまったダメな母親。

相手は、カウンセラーや心理士、医師のようなきちんとした専門家。きっと正解を教えてくれているんだ！　というすがるような思い。

だから、なんでもかんでもワラをも掴む思いで実践します。

そうやって、**ママは、自分の子育てが失敗したという自責の念から、いろんな意見に振り回され、家庭の状況はますます悪くなります。**

ただ、これらの対応がすべて間違っていたのかと言えばそうではないと思います。様々な専門家の方がおっしゃっている対応は、納得いくものもたくさんあります。

じゃあ、なぜ、子どもに有効ではなかったのか？

それは、その対応方法そのものが良くなかったというよりは、それをやっているママ自身の問題。

きっと、自分に自信をなくし、心身が疲弊しているママが、どんなすばらしい対応をしたとしても、子どもに伝わるのは、対応に振り回され心が折れそうになっているママのツラさのほう。

これだと、子どもに前を向いてほしい、元気になってほしいと願っていても、当然どの対応もまったく生きてきません。

だからやはり、**子どもを何とかする前に、ママ自身が自分を元気にすることが最優先なのです。**

本書では、そんなママ自身を整えることについて書き進めていきます。

○○相談センター
△△病院
医者
カウンセラー

追い詰められていくママの心

子どもへの対応は何をやってもうまくいかず、さらに、パパからも責められ、怒りに任せて、

「だいたい、あれもこれもお前のせいだ！　俺だってお前のことは前からダメだと思っていたんだ。お前がそんなだから子どもも不登校になったんだ！　全部お前が悪い！」

なんて言われた時には、ママはもう立ち直れなくなります。

やっぱり私のせいなんだ。言われなくても分かっている。
私が頑張らせ過ぎたから。
私が押し付けてきた。
私が過保護・過干渉だった。

失敗させたくないから、いつも先回りしていた。
子どもの気持ちより、こうすべきというのを優先してきた。
私は厳しすぎた。
子どもがしんどいと言っても、もっと頑張れ！　って言ってきた。
子どものつらさを、私はちっとも受け止めていなかった。
思い返せば、子どもが生まれたときから私の子育ては間違っていたのかもしれない。

私のせいで、とんでもないことになってしまった。

「すべては私が悪い」

四六時中、寝ても覚めても自分を責める言葉が頭の中に湧いてきて、私自身を激しく責めたてる。
パパにも頼れない……。

子どもが不登校になって、こんな風にツラくて孤独な気持ちを味わっているママは、きっとたくさんいらっしゃるはず。

それくらい、**子どもの不登校というのは、相当な破壊力でママの心を追い込んでいきます。**

私も、自分のことならどんなことだって我慢して乗り越えて、ここまで頑張って生きてきたんだ！ という自負がありましたが、息子が不登校になり、自分の手に負えない現実と、あぶり出されるたくさんの課題に、本当に絶望しました。

不登校とはどんな状態か

わたしは、最初、息子が学校を休みたいと言った時、甘えている。怠けている。サボっている。弱い。逃げている。頑張りが足りない。と思っていました。

だからこそ、とにかく行かせなければ、怠け癖が付く。逃げ癖が付く。強くせねば！　と思って必死になっていたのですが、インターネットや本などを見ていると、不登校というのは「エネルギー切れ」という情報をあちこちで目にするようになりました。

確かに、息子は不登校になるまでよく頑張っていました。

中学受験で入学した学校では、朝6時前起床、満員電車での通学、レベルの高い勉強、ハードな部活、夜9時に帰宅、たくさんの課題、友達との付き合い、睡眠不足、慢性疲労、寝るのはいつも午前1時。

それでもすごく頑張って、すべてを精一杯こなしていた息子に、私は「それが当たり前だし、みんなやっているんだし頑張れ！　もっとできる！」と言っていました。

息子が不登校になったのは、中学に入学し、1学期精一杯走り抜けて、夏休み部活や補習をがんばって、その夏休み明け。

一回立ち止まっちゃったら、もう2学期からそこに戻ることができなくなったのです。

まさにエネルギー切れ。

車でいうと、ガソリン切れからのエンストです。

でも、これは、いきなりエネルギー（ガソリン）が切れたのではなく、長い月日の中で苦しいって思いながらそれでも頑張ってきたけれど、自分のエネルギーの最後の一滴まで絞り出した上で、もう空っカラになって動けなくなっちゃった。そんな状態なのだと思います。

エネルギーの循環はこんな感じです。

車なら、

①スタンバイOK（ガソリン満タン）

⬅②走る（ガソリンを消費）

⬅③給油（ガソリンを補給）

⬅①へと続く

これを私たち人でいうと、

①元気の源（エネルギー満タン）

⬅**②前向きな行動力**（エネルギーを使う）

⬅**③元気回復**（心と体のエネルギーチャージ）

⬅**①へと続く**

これを繰り返す。

こんな感じで、常にエネルギーは、使って、また補給されて、また頑張って、また元気回復して……このようなことをみんな繰り返しています。

不登校の情報の中で、

『子どもはしっかり休んでエネルギーをためたらまた動き出す』
『しっかり充電したらまた学校に行くようになる』
などとよく言われています。

ただ、それを、

学校を休んでいる＝エネルギーがたまる

と物理的な意味として捉えている人が多いので、まずは、エネルギーについて書きたいと思います。

学校を休ませていれば、エネルギーがたまってまた動き出すのか？

「学校を休んでいる＝エネルギーがたまる」と思い、ひたすら、ひきこもる子が動き出すのを今か今かと待っているママにたまにお会いします。

ここで、３つのケースをご紹介いたします。

A 5年以上ひきこもり自室から出てこなくなった、17歳男子のママ

このお子さんは、ママが部屋の前の廊下に運んできた食事をとり、トイレ、風呂などは家族の就寝中や留守中に済ませ、ひたすら自室に身を潜め、

不登校になった中1から何年もその状態が続いています。

ママは仕事をやめ、子どもの様子をうかがいながら、3食用意して部屋の前に運び、2階の物音を気にしながら、息子の変化をひたすら待っています。

もうこの状態が5年も続いていて、十分休んでいるはずなのにまだエネルギーはたまらないのか？　とママはしびれを切らしている感じでした。

B 不登校になって1年の、中学3年生女子のママ

このママは、「娘はもう1年も休んでいます。十分充電できているはず！でも、学校に再び行けるようになる気が全くしません」とおっしゃっていました。

実際ママに様子をお聞きすると、不登校になった1年前から、不登校はよくないんだよという話をひたすら言って聞かせ、生活リズムが乱れることも許さなかったそうです。

結果、毎晩一緒に勉強し、翌日の学校の準備をし、明日こそ頑張ろうね！とママは娘に約束させる。毎朝登校時間には、子どもは制服を着てリビングに来る。でもとても苦しそうにする。トイレで吐いて、ママに背中をさすってもらい、頑張れって励まされながら玄関に行く。そして靴を履く。でも玄関の扉を開くことはできず、そこで断念。今日もダメだったね。また約束破ったね。でも明日は必ず行ってね。

これを1年間、毎朝繰り返していました。

C 不登校になって2年の、中学2年生男子のママ

息子が不登校になりしばらくして、学校に行かないのは仕方ないが、このまま何もしないのはよくないと思い、ママはいろいろ探し始めた。

フリースクール、不登校専門の塾、スポーツ教室、プログラミング教室。

最初こそ、息子は愛想程度にパンフレットには目を通していたし、体験にも行ってみた。でも、続かず。今は、何か提案しようとすると部屋にひきこもる。

学校に行かないのは仕方ないが、せめて何かはしたほうがいい。これだけ学校を休んでいるのにそのくらいのエネルギーもないのか？　ただ家でダラダラしているだけなんて本当に情けない、とママは嘆いておられました。

３つの例はどれも、子どもは十分な期間学校を休んでいます。

でも、ちっとも前に進まない。

実は、「学校を休ませていればエネルギーはたまる」というのは、そのような物理的な状況や期間の長さの話ではないのです。

このパンフ見てごらん！
もっと食べて栄養つけなきゃ!!
そろそろ何かやってみたら？
……
明日こそは学校行くよね？

第2章

不登校の子に大切なのは〇〇のエネルギー

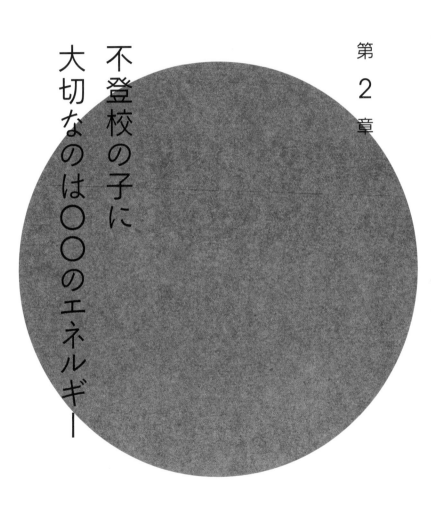

エネルギーについて

ここで、先ほど触れたエネルギーのお話をもう少し詳しくさせていただきます。

この章を読んでいただくと、子どもにとって何が必要で、何がエネルギーをためることになるのかについて、きっとお分かりいただけるはずです。

先ほども書きましたが、私たちを車に例えると、とっても分かりやすいです。次のページをご覧ください。

私たちはいつも、エネルギーを使って、また補給されて、また頑張って、また元気回復して……このようなことをみんな繰り返しています。

私たち
① 元気の源
（エネルギー満タン）
⬅
② 前向きな行動力
（エネルギーを使う）
⬅
③ 元気回復
（心と体のエネルギーチャージ）
⬅
① へと続く

車
① スタンバイOK
（ガソリン満タン）
⬅
② 走る
（ガソリンを消費）
⬅
③ 給油
（ガソリンを補給）
⬅
① へと続く

ここからは、子どもは何に頑張り、何で元気回復するかについて解説していきます。

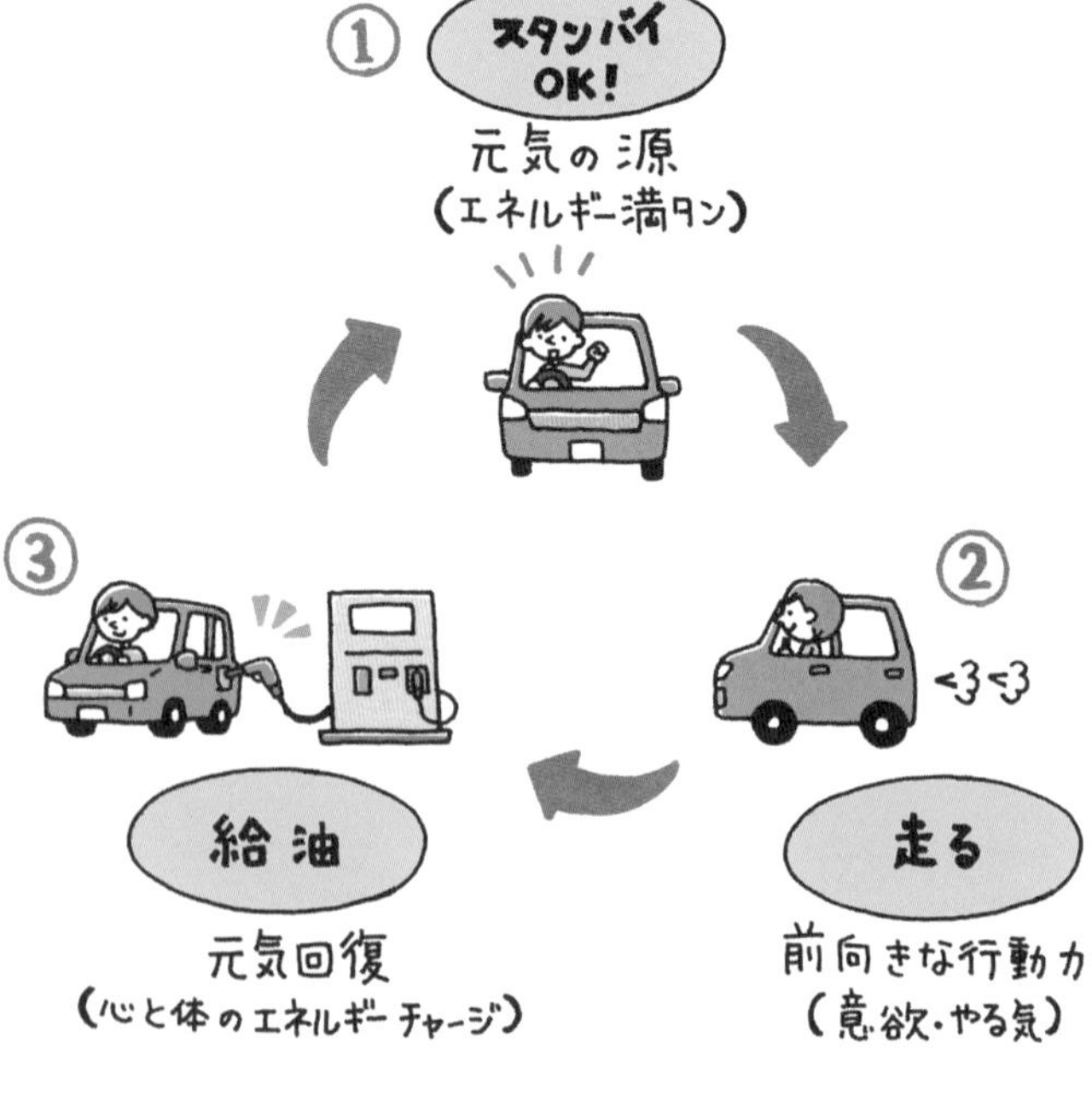
①
スタンバイ
OK!
元気の源
(エネルギー満タン)
②
走る
前向きな行動力
(意欲・やる気)
③
給油
元気回復
(心と体のエネルギーチャージ)

『前向きな行動力（エネルギーを使う）』

まず、②の前向きな行動力（エネルギーを使う）についてご説明いたします。

車だと、通常走行にガソリンが使われるのは当たり前ですが、急加速、急発進、急ブレーキなど、イレギュラーなことがあるとますます燃料を消費します。

人の場合、エネルギーを使うというと、100メートルダッシュとか、山登りをするとか、そのような体力的なところをイメージされると思いますが、私たちは日々、メンタルでもエネルギーを消費しています。具体的には、

●困難を乗り越える力
●失敗してもまたチャレンジする力

●やる気や根気を出すこと
●新しいことへの興味・意欲
●一歩踏み出す勇気や行動

などになります。

普段、何気ない生活の中で、しんどくても目標に向かって頑張る気力や、うまくいくように試行錯誤すること、逃げずに勇気を出してやってみるガッツや、失敗を次に生かそうと思える前向きな思考、こういうところに、日々エネルギーを消費しています。

だから、子どもたちは、当たり前の学校生活の中でも、様々な出来事の積み重ねで少しずつエネルギーを消費しています。

特に、勉強についていけない、部活がしんどい、友達関係がうまくいっていない、学校にいるだけでつらい、こんな子にとってはなおさらです。

勉強をこなさねばならないというプレッシャー、部活に取り組む気合、友達と穏便に一日を過ごすための気遣い。

学校に行くというだけで、ものすごいエネルギーを使っているんだと思います。

もちろん私たちも同じ。

仕事や子育て、夫婦関係。

いつもの当たり前の生活の中で、当たり前にエネルギーを使っています。

そして、特に、何か問題が勃発したり困難が立ちはだかったりすると、私たちはそこに莫大なエネルギーを投入して取り組みます。それがよくいう、「全力投球」とか「一身を捧げる」というやつです。

それは、持てるエネルギーを一極集中で使うということになります。

でも、これらは全部、①の元気の源（満タンのエネルギー）があるからこそできることになります。

そして、そうやってエネルギーを使ったら、エネルギーをチャージしなければなりません。

『元気回復（心と体のエネルギーチャージ）』

次に、③の元気回復（心と体のエネルギーチャージ）についてご説明いたします。

車なら、普通に給油です。給油すれば、ガソリンはまた満タンになり、①のスタンバイOKの状態になります。

人の場合は、具体的には、

●家で気を遣わずにゆっくり心身を癒す
●頑張ってきた自分を認める
●誰かに悩みなどを相談してスッキリする
●好きなことをして気分を上げる
●なんのプレッシャーも制約もない中で安心感を得る

このようなことがエネルギーチャージにあたります。

私たちが、どんなに疲れてしんどくても、明日また頑張ろう！　と思えるのは、また新たにエネルギーチャージできているからなのです。

でも、エネルギーチャージできないか、もしくはそれ以上に消費してしまって減っていく一方……。

そんな感じで、どんどんタンクがカラになっていくと、最後にはもう動けなくなってしまいます。


私たちだって、仕事や家事、やらなきゃならないのは分かっていても、頑張りすぎで、おまけに疲れが取れていない時ってありますよね。

そんな時、ダンナさんから、「早くご飯を作ってくれ」「部屋が汚い」「風呂もまだ洗ってないのか」と言われるばかりで、ねぎらいの言葉や優しい対応をしてもらえなかったら……。


もう、何をする元気もなくなっちゃう。

身体も心も疲弊して弱ってしまう。

その状態は、ママなら容易に想像できるはず。

そして、そんな時に、頑張れ！　家事をきちんとしろ！　しっかり働け！　って言われたら……。

きっとそれでも、頑張り屋のママなら、やらなければならない！　って気合で頑張ってこなす人もいると思います。けど、それらは、なんとか力を振り絞ってとりあえずこなせたとしたらそれでOKなのでしょうか？

きっと、子どもの不登校もこれと同じだと思います。

とりあえず、また学校に行きさえすればそれでOKなのでしょうか？

先ほどの①の元気の源（エネルギー満タン）が十分にある子なら、様々なことを乗り越えて前に進んでいくけれど、**エネルギー（ガソリン）があとわずかになってくると、勉強・部活・友達づきあいなどを楽しむ余裕もなくなり、た**

だ学校に行くというだけでものすごいエネルギーを使うようになります。

そして、心身を十分に休ませることができず、③の元気回復（エネルギーチャージ）もできないまま、最後の1滴まで振り絞ってガソリンタンクが空っカラになった状態。ガス欠のエンスト。

それが不登校なんだと思います。

もちろん、不登校の子の中には、今の教育制度に賛成できなくて、自ら行かないというポジティブな選択をしているお子さんや、それを受け入れてるママもいらっしゃいます。

でも、私がこの3年間に見てきた多くは、そのような先進的な考えで自ら行かないことを選んだ子より、ついに立ち止まってしまったという子や、それを受け入れられないママが圧倒的多数でした。

本書では、後者の不登校について書かせていただきます。

学校を休ませているのに、いつまでも動き出さなかった理由

不登校の子は「学校を休ませたらエネルギーがたまる」ということについては、学校を休むという物理的な状況だけでなく、休んでいる間、③の元気回復（心と体のエネルギーチャージ）はできているか？　ということが大きなテーマになります。

先ほど紹介した3つのご家庭のママは、「そもそも学校を長期間休んでいるか

ら十分充電できているはずだと思っていた」とおっしゃっていました。

まず、**A**の5年間ひきこもっている子については、押しつぶされそうな劣等感、仕事まで辞めたママに、動き出すのはまだかまだかといつも見張られていて気持ちが全然休まらない、ママに応えることができない罪悪感、そんな感情が渦巻いています。

また、**B**の1年間不登校の子については、毎朝制服を着て、行くための葛藤を繰り返し、結果はいつも登校せず。そして、ママを毎朝失望させる。でも、夜には明日こそはと期待され一緒に準備もする。でも翌日また失望させる。

大きな罪悪感と、1年経ってもずっと不登校初期みたいなことを繰り返している劣等感を背負いながら、毎朝制服を着て行く準備をして……、という親の顔色を見ながらの行動に日々エネルギーを消費してしまっています。

そして、Ⓒの子についても同様。

いろんなことを親から提案されたり進められたりするたびに、できないと断り続けることにも罪悪感と劣等感は常に付きまといます。

ちなみに、先ほど挙げましたが、③の元気回復（心と体のエネルギーチャージ）のために必要なことはこちらです。

- ●家で気を遣わずにゆっくり心身を癒す
- ●頑張ってきた自分を認める
- ●誰かに悩みなどを相談してスッキリする
- ●好きなことをして気分を上げる
- ●なんのプレッシャーも制約もない中で安心感を得る

どのお子さんも学校は休んでいるものの、家にいながら家庭内での葛藤や苦

悩、劣等感、罪悪感を抱く毎日に、エネルギーをためるどころか、どんどん消耗し、身も心も疲弊しています。

たとえ、子どもが部屋にこもりゲームやYouTubeばかりしていたとしても、罪悪感と劣等感にまみれている時点で心の底から楽しめているわけではありません。また、やってはいけないことをやっていると思っていては、気分が上がってスッキリするということはなかなかないのかもしれません。

ゲームについては、最後のほうでまた触れたいと思います。

不登校の子の悩みのリアル

私のセッションは、子ども向けのメニューもあります。

施術中に世間話をする感じなので、カウンセリングや病院では全くしゃべらないとママから聞いていた子でも、畏《かしこ》まらずとても気楽に話してくれます。

「子どもは学校に行きたいのに行けない。それをすごく悩んでいるようだ」とママからお聞きしていても、**実際の子どもの状態は、ママから聞いている話とは全然違ったりします。**

私はいつも、ママが退席後、子どもに、
なんか悩んでる？
なんか困ってる？
と聞くのですが、
だいたいの子の悩みは、自分が学校に行けないことではありません。

「学校に行きたくないのをわかってもらえない」

「パパが、不登校はお前のせいだ！　とママにいつも怒っていて、ママが陰で泣いているのがツラい。僕のせいなのに。だから申し訳なく思う。ママのせいじゃないとr・i k aさんから言ってあげてください。僕が言ってたとは内緒で！」

「おばあちゃんがママに、あなたの育て方が悪いからこうなったんだ。と嫌味を言いに来るようになったのがツラい」

「パパとママのケンカが増えたのが悲しい」

「ママがカウンセラーみたいな不自然な接し方をしてくるのがめんどくさい」

「ママが私にメッチャ気を遣っている。それ（腫れ物扱い）がウザい」

「弟が家にいる時、ママは出かけない。僕を危険人物と思っているから弟と二人っきりにしたくないんだと思う。僕が弟に何かすると思っているのか？　本当にイヤになる」

「ママが仕事を辞めて家にいるようになった。ママは仕事が大好きで頑張っていたのに私のせいで悲しい」

「お母さんが痩せて白髪が増えた」

「ママは買い物に夜遅くに行くようになった。きっと近所の人に会いたくないんだろうな。なんか申し訳ない」

「困っていることはない。ツラい学校を休めてホッとしている」

「心苦しいといえば、毎朝お母さんが先生に電話で謝っていること」


子どもはよくこんな感じで自分の話をしてくれます。


「子どもは焦っているに違いない」

「学校に行けないのがツラいに違いない」

「だからなんとかしてあげなければ！」

というのは、学校に行かなければならないというママの価値観と、学校に行ってほしいというママの願望からくる想像。


本当に子どもが苦しんでいるのは、先ほど挙げた、自分が不登校になったこ

とで拗れてしまった家族関係や、「行きたくない気持ちを理解してくれないこと」に対してだったりするのです。

不登校になり、学校に行かなくなった。

そこからママが苦悩するのと同じように、自分のことをわかってもらえないツラさや、自分のせいで家庭の状況がどんどん変わっていくことに、子どもも悩みだします。

（ブログの中でも子どもの本音や私の返答についていろいろ紹介しています）

不登校の子どもが口にする「学校に行きたい」とは？

不登校の子どもは、「学校に行きたい」とよく言います。

だけど、どうやっても行けない。

朝になると布団に丸まり頑なに動かない。制服を着たけど、ソファから立ち上がれない。トイレから出てこられない。

不登校になると、多くの子がこんな感じになります。


「うちの子は他の不登校の子と違い、行きたいのに行けないのです」

「行く気はとてもあるのです。行きたいと言っています。だから何としてでも行かせてあげなければ！」

と、前のめりになってセッションに来てくださるママもいらっしゃいます。


でも、この「行きたい」という言葉。実はとてもクセモノ。

受け取った人の思いを乗せると意味が変わってきます。

「ユニバに行きたい！」

「ディズニーランドに行きたい！」

「彼氏とデートに行きたい！」

こんな「行きたい」もあれば、

「明日までには得意先に謝罪に行きたい」

「これ以上利息が膨らむと大変だから月末には返済しに行きたい」

こんな「行きたい」もあります。


これは、どちらも「行きたい」ですが、もし、英語にするなら、「want（〜したい）」と「must（〜しなければならない）」の違いだと私は捉えています。

「ワクワク！　楽しみ！　行きた〜い♡」という願望のポジティブな思いでは

なく、「そうせねば！」という義務としての「行かなければならない」。

不登校の子どもが言う「行きたい」は、きっと後者の「must」。

「行かなければならないのはわかっている。だから行くべきだ。行きたい」

じゃあ本当の願いは？　と聞くと「行きたくない」と本心を話してくれます。

そして、それは、「結局行かない」という毎朝の行動に現れているのだと思います。

ママはどうしても、「行ってほしい」という思いがあり、子どもの「行きたい」という言葉を、自分の希望と願望を乗せて捉えてしまうので、「行きたい？よしよし！　行きたいよね！　うん、そりゃそうだ！　行きたいならママが何とかしてあげる！」と、子どもの言葉に乗っかっちゃいます。

毎朝の子どもの行きしぶる行動がすべてで、学校に行くことを拒否するという行動こそが現実なのに、そこではなく、「行きたい」という言葉に自分の希望

を託そうとします。

そうやって、長らく学校に行かせるために奮闘しているママは多いですが、これはもう、**行きたがらない＝「行きたくない」という現実を受け止める。**

それはとてもつらいことですが、そこがスタートなのだと思います。

子どもの意欲が育たない理由

さて、話を戻します。次は親子のエネルギーについてわかりやすく図解したいと思います。まずは図をご覧ください。

人は皆、自分のエネルギーをまとっている、と捉えてください。

普通のパワフルな子が図１くらいのエネルギーだとしたら、不登校の子どもの場合、図２くらいに気力もエネルギーも小さく弱くなっています。

息子の不登校初期に読んだ**「不登校の子どもはエネルギーが枯渇している状態」**という文章に、その時はピンときませんでしたが、たくさんのママやその子どもを見ていて、今は、本当にその通りなんだ！　と実感しています。

図2

図1

図3

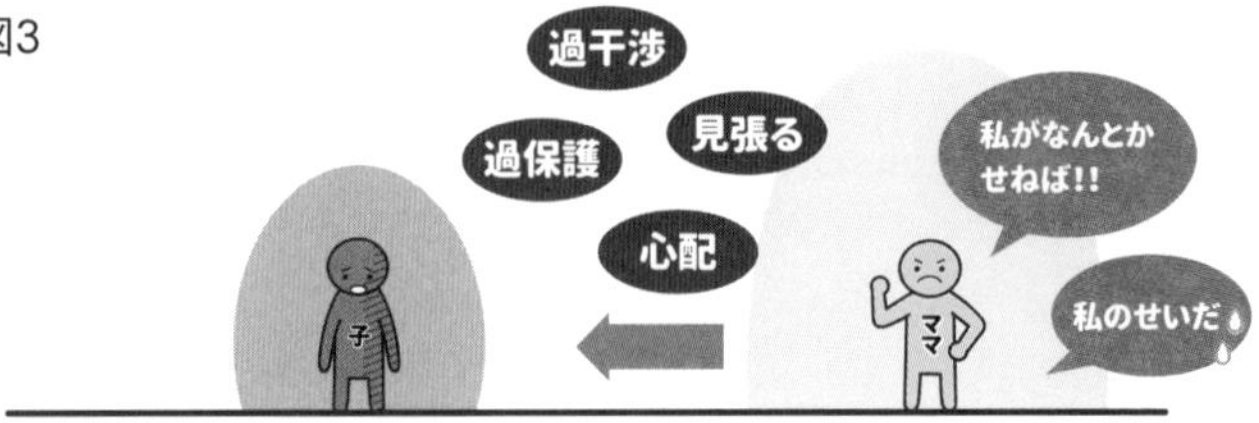
過干渉
見張る
過保護
心配
私がなんとかせねば!!
私のせいだ
子
ママ

図4

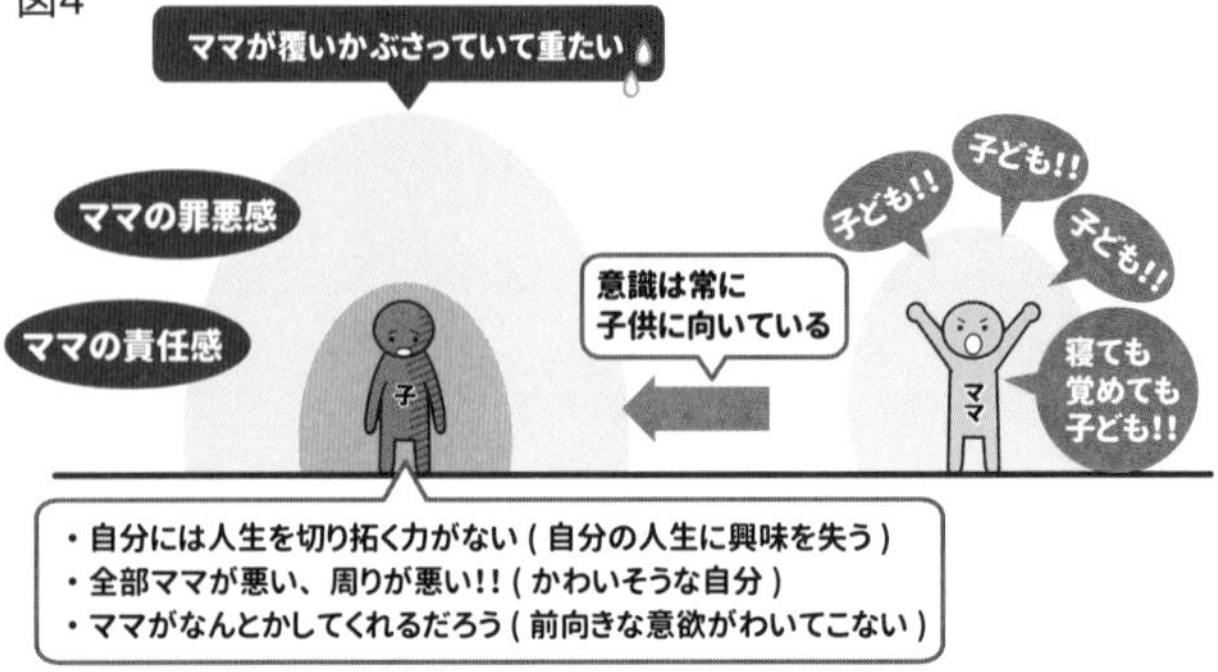
ママが覆いかぶさっていて重たい
ママの罪悪感
ママの責任感
子ども!!
子ども!!
子ども!!
意識は常に子供に向いている
寝ても覚めても子ども!!
子
ママ
・自分には人生を切り拓く力がない(自分の人生に興味を失う)
・全部ママが悪い、周りが悪い!!(かわいそうな自分)
・ママがなんとかしてくれるだろう(前向きな意欲がわいてこない)

図5

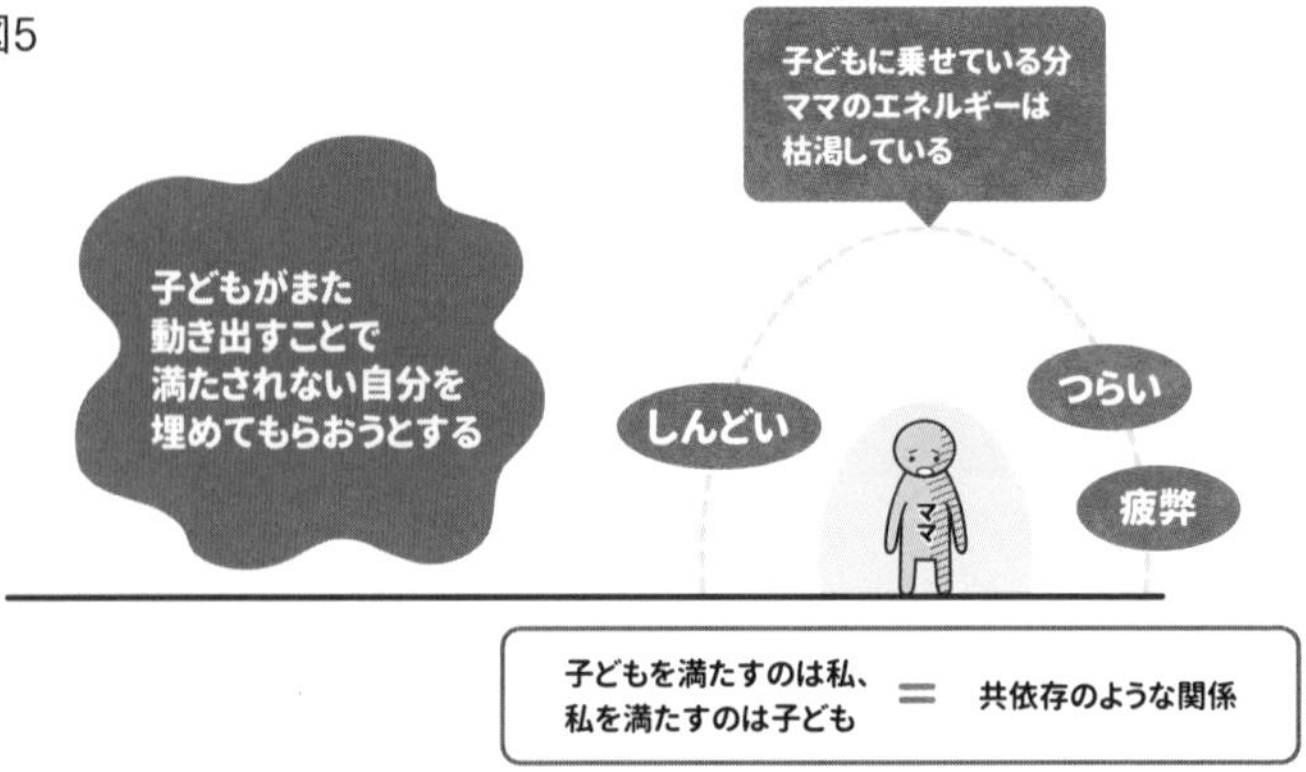
子どもに乗せている分ママのエネルギーは枯渇している
子どもがまた動き出すことで満たされない自分を埋めてもらおうとする
しんどい
つらい
疲弊
ママ
子どもを満たすのは私、私を満たすのは子ども
＝
共依存のような関係

もう動き出す！　という子は、とてもエネルギッシュでエネルギー満タンになっていて、そのうち、目標を定めたらパワフルに前に進んでいくんだろうなと感じる子もいます。

そして、うちの息子もそうでしたが、そのような子は、もし1年以上ぶりの再登校で、たとえ友達がいなくても、勉強が全然分からなかったとしても、それでも自分はやっていくぞ！　と決めたら、すごく頼もしく登校したりします。

これは、①の元気の源が満タンになって、一歩踏み出す勇気やヤル気、チャレンジする意欲、困難を乗り越える力、そのような②のエネルギー（63ページ）が十分にあるからです。

そして、失敗しても、③のエネルギーチャージ（66ページ）をしっかりできるので、安心してチャレンジできるのです。

少し話がそれましたが、不登校初期の子は、図2のように本当にエネルギーが小さく弱くなっています。そこに、図3のようにママが登場し「子どもをなんとかせねば！」と過保護・過干渉・心配・見張る等の意識（エネルギー）を子どもに向けます。

そして図4のようにそんなママのエネルギーが乗っかると、**子どもはどんどん主体性がなくなり、自分の人生なのにどんどん自分の人生に興味を失っていきます。**

それは、ママに操縦されているような感覚になり、自分が自分の人生の操縦桿を握っていない気になってきて、どこか他人事になってくるからです。

子どもを信頼して任せようという意識を向けているのならいいのですが、**ママの重たいエネルギーが乗っていると、充電だって進みません。**

ママの重たいエネルギーとは、「私がなんとかしてあげないと！」という操縦席を奪うような関わりや、「私のせいでこんなことになってしまった」という罪悪感など、ママが子どもに対して発しているネガティブな意識です。

そして、子どもに対して「何とかしてあげないと！」という接し方をしていると、子どもは「どうせママが勝手に決めるだろう」「自分には自分の人生を切り拓く力がない」と思うようになり、意欲や勇気が育たず、自分の責任で自分の道を歩くことを放棄してしまいます。

また、ママが子どもに「罪悪感」を乗せている場合、たとえば子どもが何か失敗した時、子どもはママのせいにして、「お前のせいだ！」とママを責めたり、「〇〇のせいで自分はこんなことになってしまったんだ！」と他人のせいにしたり、「あれもこれも周りが悪い！（自分は悪くない）」と言って、可哀想な自分という立ち位置に居続けます。

どちらにしても、ママの重たいエネルギーを向けていると、子どもは充電できないだけでなく、「自分の意思」で「自分の力」で「自分の責任」で「自分の人生」を歩いていく、という意欲を持ちにくくなります。

さらに、子どもにそんなエネルギーを向けているということは、それを子どもに乗せている分、ママ自身のエネルギーは図5のように小さくなっています。

欠如している自分のエネルギー、満たされていない自分のエネルギー、

疲弊しきった自分のエネルギー。

子どもに乗せてしまっていることで**自分の中の足りなくなったエネルギーを、今度は子どもがまた動き出すことで子どもに埋めてもらおうとするのです。**

子どもを満たすのは私。
私を満たしてくれるのは子ども。
その関係性が共依存です。

これに気づいたら、やめる勇気を持つことが大切です。

不登校初期は結構この状態の人が多いのですが、月日が経つごとに、**子どもを何とかすることはできないということに気づき、まずはそんな自分をなんとかせねばと、ママ自身が自分と向き合うようになります。**そうなると、子どもに向けていたエネルギーはまたママのところに戻ります。

そうすると子どもとても自身もとても軽やかになり、図2のようになっていた子どもは、図1のようにエネルギー満タンになった時、**エネルギッシュに自分の人生を自分で考え、自分で生きるようになります。**

私のオンラインサロン「rika’s cafe」では、子育て講座・パートナーシップ講座、さらに、自分と向き合うための講座やワークを動画配信しています。

そうやって、自分のことや自分のあり方、子どもへの関わりや夫婦関係を見つめ直したり、自分を知るワークなどで自分に集中することで、子どもが元気になったり、家庭の状況がどんどん好転してきたりします。それらは、ママが子どもに向けていたベクトルを自分に戻すことで、ママ、子ども、それぞれが自分自身のエネルギーで自分自身を生きだしたからなのです。

まさに図5みたいになってるかも！　という自覚があるママは、是非オンラインサロン「rika’s cafe」にご入会くださいね♡

不登校の子に必要なこと

不登校の子に一番大切なのは、③の元気回復（心と体のエネルギーチャージ）です。

車では、ガソリンが入りエンジンがオンになると、ナビもセットできます。
不登校の子も、エネルギーがたまるとヤル気や勇気が出てきます。
そうなると動き出したくなります。
そして、こうしたい！　という目的ができれば、前を向いて歩き始めます。

先ほど紹介したⒸのママは、不登校になった息子に、学校がダメならこれはどうか？　といろんなことを提案していました。

でも、息子は動かなかった。

それはなぜか？

先ほどの①の**元気の源がない状態、車で言うとガソリンタンクが空ッカラな状態では、エンジンもオンになりません。**

そして、いくら学校に行かせるという目的地にナビをセットしようとしても、ガソリンがなくエンジンもオンになっていないのだから、セットもできません。それはナビの目的地を変えても一緒。フリースクールでも、何かの教室でも同じです。

私も息子が不登校になった最初のころは、学校以外のあらゆる手段や選択肢を提案をしましたが、息子は全く聞く耳を持ちませんでした。それは、当の本人のガソリンタンクがカラなのだから当然です。

しかも、エンジンだってかかっていません。

車なら、まずはガソリンがなくなった時点でエンジンだって止まっています。さらに、目的地に行くには、エンジンもオンにしなければなりません。

だからこそ、まずは、一歩踏み出す勇気や、前向きな行動につながる②のエネルギー、そして、その元になる①の元気の源をためることが先決なのです。

エネルギーが満タンになると、困難を乗り越える力、失敗してもまたチャレンジする力、新しいことへの興味・意欲、そして、やる気や根気も出てきます。

だから、まずは、③の元気回復（心と体のエネルギーチャージ）をする必要があるのです。

不登校の子がまた元気になるために

先ほどの③の元気回復（心と体のエネルギーチャージ）に必要なことは、

- ●家で気を遣わずにゆっくり心身を癒す
- ●頑張ってきた自分を認める
- ●誰かに悩みなどを相談してスッキリする
- ●好きなことをして気分を上げる
- ●なんのプレッシャーも制約もない中で安心感を得る

と書きましたが、これらをすべてまとめて、今からは『**充電**』と言います。

では、充電とは具体的にはどのようなことなのかご説明いたします。

私たちのイメージにある充電とは、『南の島でバカンス』『一日中寝たいだけ寝る』『自然の中でドライブ』『おいしいものを食べる』『エステやマッサージで癒される』『友達に愚痴を聞いてもらう』など、いろいろ思いつきますが、不登校の子に必要な充電とは何か？

それは、『疲弊した心身を安心して休めることができる環境にいること』だと私は思います。

そのためにママにできること。

それは、不登校の子の唯一の居場所である『家庭』を充電スポットにすることです。

第3章

家族が幸せになれる居心地のよい家庭とは？

居心地のよい家庭は不登校を長引かせるのか？

よく、居心地のよい家庭だと不登校はむしろ長引くんじゃないの？とおっしゃる方もいらっしゃいます。

その理屈はこうです。

「家で居心地がよくなる→厳しい社会に出る気が失せる」

これはつまり、「不登校＝怠け・さぼり・甘え」と考えている人の理屈です。

だから、家庭は居心地のよいところにしてはいけないと、カウンセラーからアドバイスされたという方もいらっしゃいました。

でももし、家庭が居心地悪いから学校に行った、または社会に出た場合、先のエネルギーの話のところで書いたような③のエネルギーチャージはどこでするのでしょうか。

居心地のよい家庭がベースにあって、そしてもし何かチャレンジして、失敗して傷ついて帰ってきたとしても、自分には受け入れてくれる場所がある。家族がいる。家庭がある。

そう思えるから、安心して一歩踏み出してみようと思えるのだと私は思います。

だから、前向きに歩き出したり再登校している子たちは、そんな絶大な信頼感と安心感の中で勇気を出して踏み出しているパターンが圧倒的に多いのです。

こんな感じで、ポジティブな動機で前に進むのか、家より学校のほうがマシという理由で前に進むのか、この違いは子どものモチベーションの違いにつながります。

もちろん、正解なんてありません。自分がしっくりくる考えを取り入れられたらいいと思います。

ちなみに、年齢が上がると、自分の世界やコミュニティが広がっていくので、エネルギーチャージできる居場所は家庭だけではなく、「仲間」「サークル」「グループ」「信頼できる友人」「恋人」など、自分にとっての快適な居場所がどんどん増えていきます。

本書では、家庭以外のリアルな（現実生活の中の）居場所、コミュニティをまだ持っていない『不登校の子ども』について書き進めていきます。

不登校の子の唯一の居場所『家庭』

子どもが不登校になると、ずっと家にこもりがちになります。外に出なくなるのは、学校を休んでいる罪悪感、かっこ悪さ、知り合いに会いたくない、などがありますが、そのままひきこもりになる子も少なくありません。

そうなると、本当に、居場所は家庭のみとなります。
だからこそ、家庭がどんな場所かがとても重要になってくるのです。

先ほどから書いている『居心地のよい家庭』について、皆さんはどんな家庭をイメージされますか？

私はと言うと、テレビでよく見るハウスメーカーのＣＭのような、リビングに家族が集って、笑い声が絶えず、家事はみんな協力し合い、みんな仲良く……。そんな家庭を想像していました。

きっと、私と同じような想像をされている方は多いのではないでしょうか。

そして、もしかしたら、「うちはシングルマザーだからその時点で論外ね」とか、「夫は単身赴任中だから一家団らんなんて無理だわ」「私は働いているし、家事もできていないからダメだわ」などと思っている方もいらっしゃると思います。

でも、私はそのような体裁のことを言っているのではありません。

大切なのは、「どんな状況か？」ではなく、「ママが家庭でどんな気持ちでどんなエネルギーで過ごしているか？」です。

このことについては後述します。

居心地のよい家庭を目指して

私は、息子が学校を休み始めた最初のころは、「行かなければならない学校を休んでいる息子」「ダメな息子」「親を困らせる息子」そんな意識で息子のことを見ていたし、そんな風に本人に言っていたので、家庭での息子は本当に針のむしろで、気持ち的にとてもしんどかったと思います。

そこからは、本やインターネットで「黙ってあたたかく見守らなければならない」という情報を読み、学校のことを言うのを一切やめ、なるべく笑顔で普通の会話に努めました。

心では、学校にも行かずにダラダラと、一体この子はなんなんだ？　このまじゃこの子はダメになる！　と思いながらも、日常の中では、必死で話題を探して普通の会話を試みていました。

でも、伝わるのって、そんなうわべの言葉がけではなく意識・真意のほうです。

私たちだって他人との会話の中で、会話の内容そのものより、その人の会話への思いが伝わってくることってよくあります。

たとえば美容院。シャンプーやセットの時に、若いアシスタントさんが、「正月休みはどこか行くんですか？」「今日はよく晴れていて洗濯物もしっかり乾きますねー。干してきました？」など、一生懸命いろんな会話を膨らませようとしてくれます。

でも、本当にそのアシスタントさんが、今日のお天気や洗濯物の乾き具合に興味があってそんなことを話しかけてくれているのか、退屈させないようにと話題をふってくれているのかなど、こちらには会話の内容よりその真意が伝わってきます。

だから、そんな親子ほども年の離れたアシスタントさんが一生懸命話してくれるのを見て、逆に気を遣ったり、かわいいなあと思ったり、しゃべってくれなくていいのになって思ったりすることってありますよね？

それと同じで、気心知れた親子なんてもっとそう。うわべの会話の中からも、私の本音をヒシヒシと感じながら、息子は相変わらず罪悪感と劣等感で小さくなっていたと思います。

その時は、うわべの言葉ではなく意識・真意が伝わるということをまだ分かっていなかった私は、息子がいつまでも心を開かないでいることが解せませんでした。

結局、居心地のよい家庭を目指して、学校の話は一切せず普通の会話を頑張ってしているのにまったくうまくいかず、この子はおかしいのか？　と思ったりしました。

そして私は日が経つごとに、だんだん息子を責める気持ちは薄れてきて、なんだか息子が不憫に思えてきました。

息子を責める気持ちが薄れていくのと同時に出てきたのは、息子をこんな不憫な子にしたママである私を、自分自身が責める気持ちです。

ママの罪悪感と後悔

私の育て方のせいで……。
私が厳しかったからこんなことに……。
私が過保護・過干渉だったから……。
どこで失敗したんだろう……。

これは、不登校ママなら誰もが感じたことのある気持ちではないでしょうか。

私も、寝ても覚めても悔やんでいたことがありました。

周りを見てもみんな学校に行っている。
5人の子がいるママ友を見ても、きちんと5人兄弟みんな学校に通わせている。

私は何がダメだったんだ。
私の子育て、あれもこれも全部間違っていたのかもしれない。
私はとんでもない子育てをしてきたんだ。
取り返しのつかないことをしてしまった。

自責の念と後悔と罪悪感で、自分でも気がおかしくなりそうなくらい自分を責めました。

そして、とんでもない失敗の子育てをしたせいで息子は不登校になったのに、その息子に対してひどいことをたくさん言ったり、無理やり学校に行かせようとしてきたことにもまた罪悪感。

不登校当初は、私は息子を思いっきり責めて接していたので、その時は学校に行けない息子に罪悪感を抱かせていましたが、今度は、私自身が自分に対して罪悪感でいっぱいになりました。

でも、私の罪悪感は、息子により一層罪悪感と劣等感を抱かせていたのでした。

なぜなら、ママの自分自身の子育てへの罪悪感や失敗したという自責の念は、子どもに対して、「あなたは失敗の子育ての結果の失敗作だ！」と子ども自身を否定しているようなものなのです。

そしてそれは、子どもをとても傷つけ、自己肯定感を地までも落とす、ということを私は目の当たりにしました。

それでも私は失敗作のかわいそうな息子に対して、「母はニコニコ笑顔でいないと！」と思い、作り笑顔で明るく振る舞っていましたが、気心知れた家族がそんな笑顔でホッとするわけもなく……。

私の笑顔のうしろに隠れた罪悪感や後悔、自責の念からくるツラさは、家庭の空気をドヨーンと重たいものにしていました。

息子も自室に閉じこもり、ただ家族を避けている感じ。

「なんでこんなことになっちゃったんだ……」

私は自分自身が発している超ネガティブなエネルギーに、自分で押しつぶされそうでした。

『まずはママが笑顔になろう』の意味

インターネットには、「まずはママが笑顔になろう」と書かれていました。

これはよく言われていること。
だから、私もツラさを押し殺して、笑顔で頑張ってみました。
だけど、そんなことになんの意味もないことを実感しました。

じゃあ、ママの笑顔って何？　と自問自答してみたりもしました。

『ママが笑顔の家庭は、家庭のエネルギーが明るく軽やかで、家族みんな心地よく過ごしているイメージ』

私の痛々しい作り笑顔は、ますます息子に罪悪感を抱かせ、夫や娘にとっても重苦しくしんどいものに違いない。
「まずはママが笑顔になろう」の笑顔は、顔が笑っているという意味の笑顔じゃなく、「ママが幸せ」ってこと。

私は今、全然幸せじゃない。
毎日気を張って疲弊して、不安で
つらくて苦しくて、夜も眠れない。
不幸すぎて泣きたい。
まずは、そんな私自身をなんとかせねば！

私は、作り笑顔の仮面を取り去り、息子に向けていたベクトルを自分に戻しました。

84ページの図4のように、息子に常に意識を向けている状態をやめ、自分自身に向き合うことを決めたのでした。

子どもに望むこと

息子が学校に行かなくなった当初は、私も必死で学校に行かせようとしていました。

きちんとする。
みんなやっているなら自分もそれに合わせる。
無理してでも頑張る。
嫌われないようにする。
自分さえ我慢して済むことなら我慢する。
ツラくても耐えていれば、きっとあとで報われる。
とにかく、みんなと足並みそろえて、みんなと同じように！

私はずっとこんな価値観で生きてきたし、子どもたちにもそんな風にすることを無意識に強いていました。

だから、息子が学校を休むようになってしばらくの間は、このまま本当に不登校になってみんなと同じ枠から外れてしまったら大変！　と私は必死でした。

息子も、私のそんな価値観の中で育ってきているから、当然、学校に行けない自分、みんなに合わせられない自分、ツラいのを耐えない自分、自分さえ我慢して学校に行けばすべて丸く収まるのにそれができない自分、そんなダメダメだらけの自分に打ちひしがれていました。

そして、息子はよく、「自分はダメだ！　クズだ！　僕には価値がない！　学校に行けないなんて僕はもう人生終わっている！」と言っていました。

そのころには、私も、自分の価値観を押し付けていたせいで、息子がすごくしんどい思いをしているんだということに申し訳なさを感じていたし、息子にはよく、

「もっと自信持って!」

「ママはちゃんと知っているよ! あなたはいつだって一生懸命だったよ!」

「あなたは価値があるよ! 何かができるとかできないとか関係なく、あなたはここにいてくれるだけで価値があるんだよ!」

「失敗してもいい。完ぺきを目指さなくてもいいやん!」


と声をかけたりしていました。そして、息子に対して、

——————
●自分を大切に自分らしく生きてほしい。
●自信を持って、ありのままの自分で胸を張って生きてほしい。

●自分はそのままで素晴らしい人間なんだということを知ってほしい。
●失敗してもいいから、どんどんチャレンジしてほしい。

と心から願うようになりました。

自分と向き合うワーク

さて、皆さん、ここからちょっとしたワークをしていただきます。

今子育てをしている方は、誰もが皆、自分なりの信念や夢、願いがあって子育てをされていると思います。

先ほども書いたように、私は息子が不登校になってしばらくしてから、

●自分を大切に自分らしく生きてほしい。
●自信を持って、ありのままの自分で胸を張って生きてほしい。
●自分はそのままで素晴らしい人間なんだということを知ってほしい。
●失敗してもいいから、どんどんチャレンジしてほしい。

子どもにこんな風に願うようになりました。

ちなみに私は、息子が不登校になるまでは、いい学校に行って立派な仕事に就いて、自立した社会人になってほしいとか、そのようなことを答えたと思います。

でも、それを掘り下げたら、武器は1つでも多いほうがいいという思いがあ

りましたが、その根底には、自信を持って、自分らしく胸を張って生きてほしいという思いがありました。

皆さんも考えてみてください。

あなたは、子どもに何を望んでいますか？
子どもにはどんな風に育ってほしいですか？
子どもに伝えたいことは何ですか？

うわべの願い、ああしてほしい、こうしてほしい、ということではなく、

どうなってほしいのか？
どう生きてほしいのか？

ということをしっかり自分と向き合って考えてください。

そして、どこかに書いておいてくださいね。

このワークについては、またのちほど解説します。

穏やかで平和な家庭を目指したら

今、私が目指す居心地のよい家庭は、とてもラクで自然体で心がリラックスできる家庭です。

私はよく、家庭に不満を持っているママに、理想の家庭像は？　と質問します。そうすると、

「みんな仲良く、喧嘩もせず、お互いを尊重しあい、協力しあい、励ましあって、いつもニコニコ笑顔が絶えず、とっても平和で……」

こんな風に答えてくださるママが多くいらっしゃいます。

私も息子が不登校になり、居心地のよい家庭にしたいと思った時、こんなキラキラした理想を持っていました。そして、それを目指していました。

そして、私が周りに気を配りながら過ごしていると、家庭には穏やかな空気が流れ、揉めることも何もなく、ただ平和な日常が過ぎていきました。

でも、次第に、私はこの穏やかな日常を保つために必死で頑張っていることに気づきました。

家族がトゲトゲしてきたりネガティブな感じがしてくると、途端に私の心はザワザワ。

●夫が疲れていたり不機嫌そうなオーラを出していたら、私はとっさに機嫌を取る。
●夫が息子に何気なくかけた言葉でも私は即座に反応し、不登校の息子が傷つかないように慌ててフォロー。

●息子がネガティブな気持ちになって自室にひきこもらないようにひたすら腫れ物扱い。
●私は何かにイラっとしても我慢。納得できなくても我慢。

こんな感じで、**私は絵に描いたような穏やかな家庭を死守するために、とっても頑張っていました。**

この時は、
「居心地のよい家庭＝平和な家庭＝喧嘩をしない家庭」と思っていました。
でも、その家庭は私の頑張りと努力で成り立っていました。

これは、はたから見ると、喧嘩もなく穏やかで平和そうな家庭だったかもしれないけれど、私にとっては**「ラクで自然体で心がリラックスできる家庭」とは程遠い状態でした。**

そして、想像してみてください。

●自分が誰かに機嫌を取られている。
●自分が誰かに腫れ物扱いされている。
●自分が誰かになんでも我慢して対応されている。

もしこんな風にされたら、うれしいでしょうか？
リラックスできるでしょうか？

私なら、

●機嫌を取られている＝気難しい人として小馬鹿にされている。
●腫れ物扱いされる＝めんどくさい人として扱われている。
●我慢して対応されている＝器の小さい人として扱われている。

こんな風に感じて、逆にイラつくと思います。

きっと夫や息子もそうだったはず。

そして、実際、私は空気を読んだり察したりを一生懸命やりながら、喧嘩のない穏やかで平和な家庭を目指していることに、次第にストレスをためていきました。

さらに、いつも家族の顔色を伺っていた私は、家族がキレたり喧嘩になったりする隙も与えていなかったので（雲行きが怪しくなると即フォロー）、皆ただただイライラを募らせていきました。

私がお会いするママは、こうやって勘違いの居心地のよい家庭を目指して疲弊している人がとっても多いのです。

自分さえ頑張れば……、自分さえ我慢すれば……。

でも、ママのそんな努力の上に成り立つ家庭は、いくら穏やかで平和な家庭に見えても、それはただ喧嘩がないだけ!

イライラ・不機嫌、そんなごく当たり前の感情を持つことさえ許されない、そんな窮屈な状態では、家族は誰も幸せではありません。

居心地のよい家庭とは

夫の機嫌を取ったり、息子を腫れ物扱いしていた私は結局のところ、誰のことも信頼していなかったのでした。

同じようなママにそんな風にお伝えすると、「いいえ! 私は家族を信頼しています!」とおっしゃる方もいらっしゃいます。

だけど、本当に信頼していたら、「自分さえ頑張ればば……、自分さえ我慢すれば……」という発想にはなりません。

居心地のよい家庭とは、誰も気を遣ったりしんどい思いもせず、自分自身が、そのまま、ありのままでいられる家庭です。

ありのままでいられる家庭とは、お互いを信頼している家庭です。

本音も話すし、喧嘩もするけどまた仲直りできると信頼している家族です。

次の章で、家族の関係でよくあるパターンをご紹介したいと思います。

第4章

家族との関係

夫との関係

ダンナさんの機嫌を損ねないように気を遣ったり、機嫌を取ったりしている
ママはとっても多いと思います。

よく、「だって夫は気難しい人なんだもん」とおっしゃる方がいらっしゃいます。

でも、本当にダンナさんは「気難しい人」なんでしょうか？

ダンナさんは、根っからの「気難しい人」なのか？
それとも、ママの前では「気難しい夫」になっているのか？

例えば、会社や得意先やご近所さんや両親や友達など、ダンナさんの対人関

係の中で、どの関係性をとってみても、自分への接し方と同じだ！　ということはないのではないでしょうか？

会社では「面倒見の良い上司」だったり、「責任感のある信頼される部下」だったり、実家では「親思いの息子」だったり、飲みに行った先のお店の女の子の前では「優しいダンディな会社員」だったり……。

きっと、相手によってダンナさんの見せる顔は違うはず。

これは、相手がダンナさんのことを、頼ったり、任せたり、信じたり、怖がらなかったり、尊敬したり、そんな視点で関わろうとしているから。

長年一緒にいる中で、ぶつかることが面倒くさくなったり、自分がちょっと我慢していれば穏便に済むとか、子どもも見ているし納得いかないこともここは妥協しておくか……みたいなことが積み重なり、どんどん夫婦の立ち位置が変化していきます。
その結果が、今の関係性です。

シーソーの法則

対人関係は、すべてシーソーの法則で説明できます。

1対1の人間関係はお互いシーソーに向かい合って乗っていて、絶妙なバランスで平衡を保っています。
もちろん夫婦も。

シーソーの法則

いつも対局でバランスを取り合っている

だから、夫婦である限り、どんな関係性であってもバランスがとれています。

シーソーは、お互いがいつも一直線上の真反対の位置にいます。

真ん中のほうにいる間はとても心地よいのですが、片方が右の端っこのほうにいると、相手は左の端っこにいかないとうまくバランスがとれません。

たとえば、ママの悩みとして多いのが、「過保護・過干渉な私」と「放任・無関心なパパ」です。

パパの子どもへの関わり方が「放任で無関心すぎる！」ということがとても気になるということは、自分は子どもに対して「とても執着していて、過保護・過干渉でコントロールしたがっている」ということなのです。

真逆だから気になります。

そして、パパの無関心が気に障り、パパはあてにならない！　自分が子どもをなんとかせねば！　とますます子どもへの執着が強まることで、シーソーのさらに端っこにいくことになります。

そうすると、どうせ当てにされていない、頼られていないと感じるパパは、さらに無関心が加速し、気がつけばママと真逆の位置で夫婦のバランスを取っているのです。

そして、**「気難しい夫」に悩むママは、自分は対極で「夫の機嫌を損ね**

パターン①

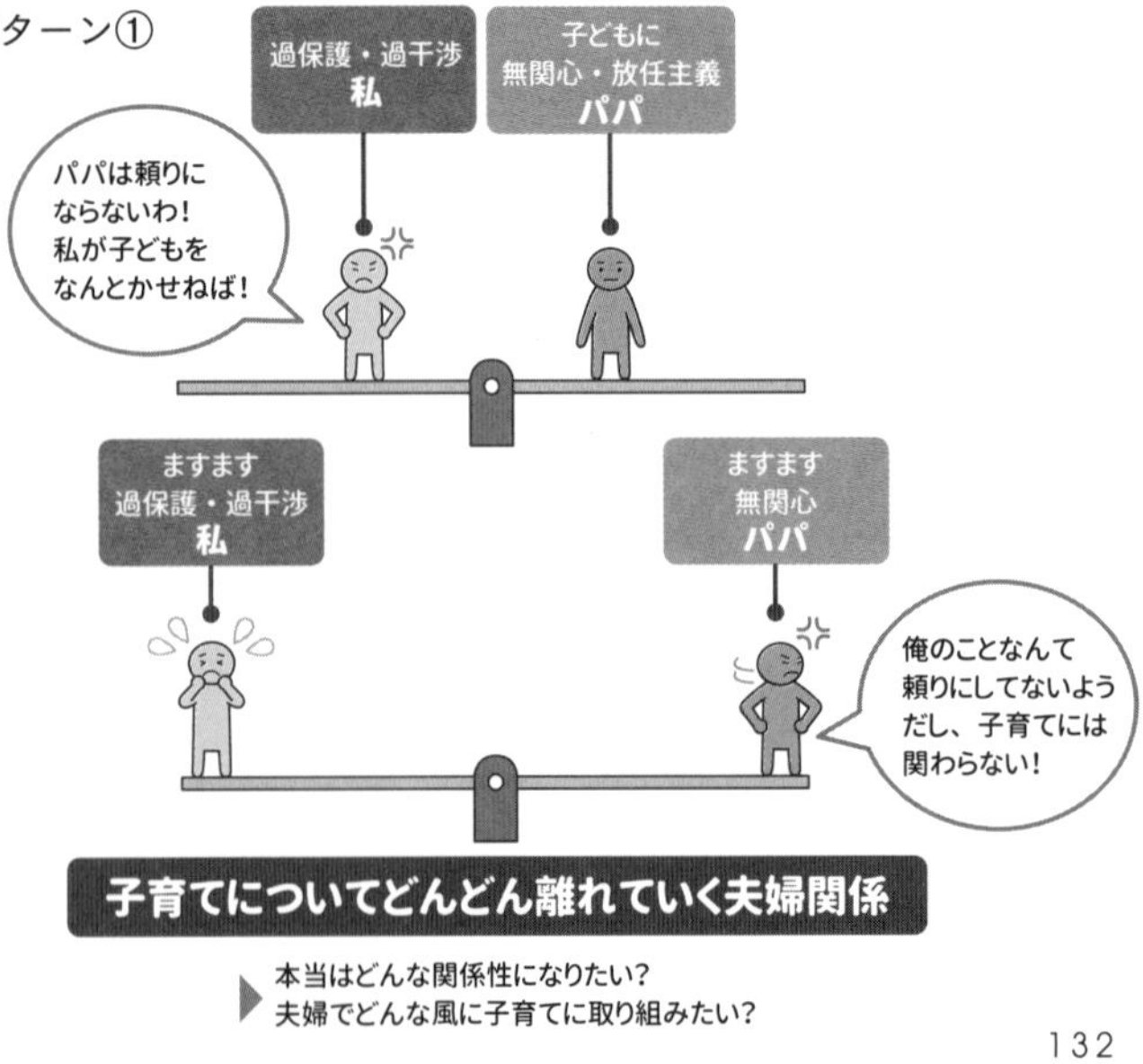
過保護・過干渉
私
子どもに
無関心・放任主義
パパ
パパは頼りに
ならないわ！
私が子どもを
なんとかせねば！
ますます
過保護・過干渉
私
ますます
無関心
パパ
俺のことなんて
頼りにしてないよう
だし、子育てには
関わらない！
子育てについてどんどん離れていく夫婦関係
本当はどんな関係性になりたい？
夫婦でどんな風に子育てに取り組みたい？

ないように気を遣いまくっている妻」であるということです。

「気難しい夫」が気になるなら、それは自分の立ち位置を見直すチャンス。夫を怒らせないようにと腫れ物扱いを続けるというのは、シーソーの法則から言っても、それはダンナさんをますます気難しい人にし、自分をますますシーソーの端っこに追いやることになります。

ダンナさんだって、いつも機嫌を取られて顔色を伺われているなんて、まるで器の小さい人扱いされているみたいでとっても気分が悪い。顔色を伺われるって実はとても居心地が悪いのです。

そしてダンナさんは次第に、気を遣ってもらうことやあれこれ察してもらうことが普通になってくると、妻にそれをやってもらうのは当然になり、妻をまるで家来のように捉え、妻のちょっとした粗相も許せず、いつもイライラ。ますます気難しい人になってしまいます。

そうなると、お互いがシーソーの両端で落ちそうになりながら、とってもしんどい夫婦関係がエンドレスになってしまうのです。

だから、いくら喧嘩がなくて、表面的には平和で穏やかな夫婦関係に見えても、それがママにとってリラックスできるものでなければ、その関係性はストレスがあるということ。

なので、ママが発しているエネルギーは心地よいものでも幸せでもありません。

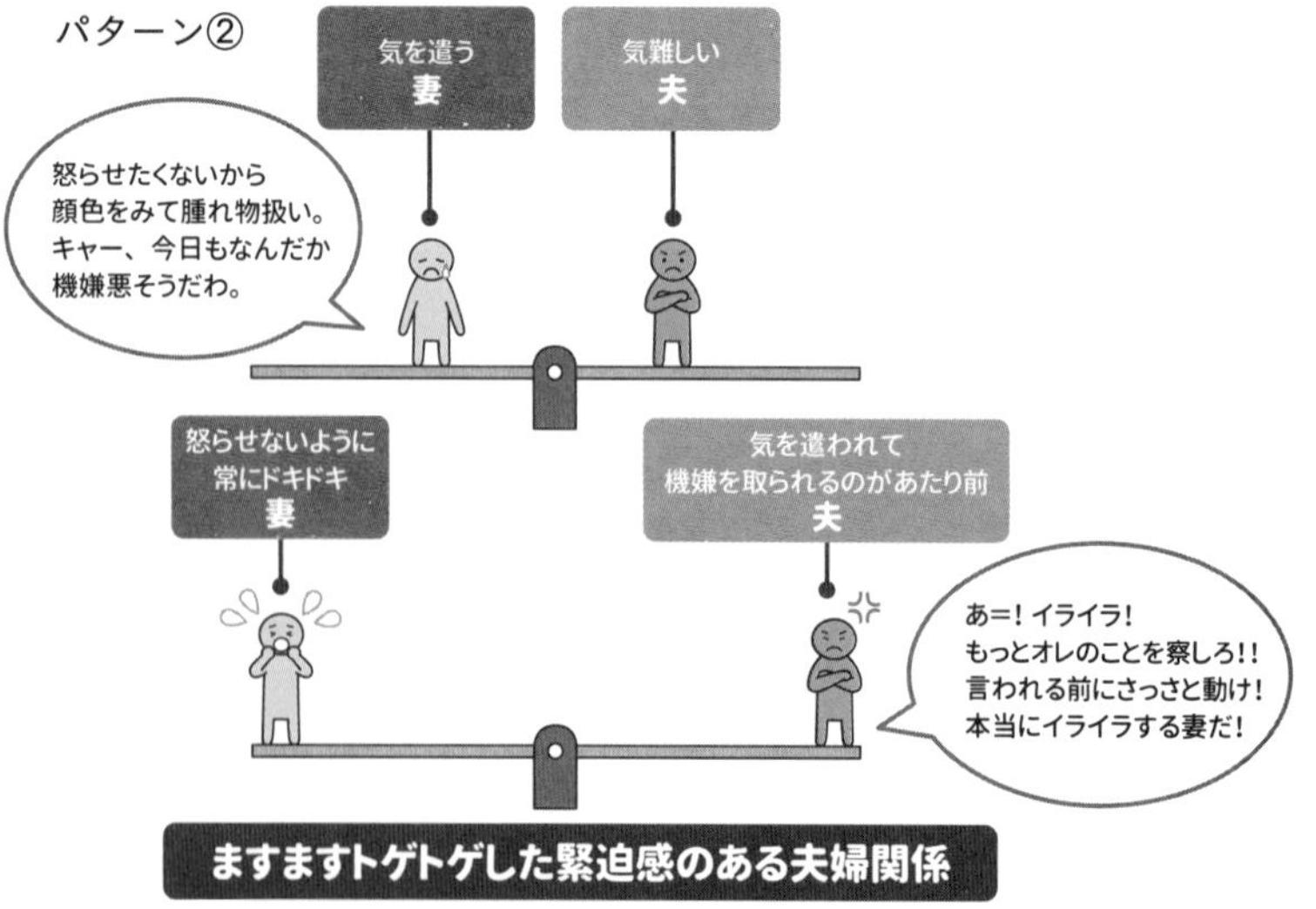
パターン②
気を遣う
妻
気難しい
夫
怒らせたくないから顔色をみて腫れ物扱い。キャー、今日もなんだか機嫌悪そうだわ。
怒らせないように常にドキドキ
妻
気を遣われて機嫌を取られるのがあたり前
夫
あ＝！イライラ！もっとオレのことを察しろ!!言われる前にさっさと動け！本当にイライラする妻だ！
ますますトゲトゲした緊迫感のある夫婦関係

本当はどんな関係性になりたい？
気を遣わず夫婦で気楽に接したいのではないですか？

ちなみに、シーソーの法則は私が主宰しているオンラインサロン「rika's cafe」のパートナーシップ講座の中で、シーソーを使った図解をしている時に、サロンメンバーさんに「シーソーの法則」と名付けてもらいました♡

理想の夫婦関係

「夫が子育てに無関心すぎる」「夫が気難しい」

そう感じているということは、自分が「子どもに執着しすぎている」「夫を腫れ物扱いしすぎている」ということになりますが、これでも夫婦としてはシーソーの端っこでお互いしんどい思いしながらもバランスがとれています。

●気難しい夫⬇怒らせないように常に顔色を見て夫を腫れ物扱いする妻⬇妻を家来のように扱う夫⬇ますます緊迫したよそよそしい夫婦関係。

●子どもを放任・無関心なパパ⬇パパは当てにならないから私が子どもをなんとかせねばと頑張るママ⬇子どものことはママが全部やってるからとますます無関心になるパパ。

でも、こんなバランスで夫婦を続けるより、夫婦としてもっと気楽なベストポジションにいるほうが、お互いストレスなく心地よくなるはず。

では、どうしていけばよいのか?

それは、今までの対処療法から、根本的に関係を変える方向にシフトするということです。

シーソーの法則でご説明した通り、夫婦は真逆の位置で絶妙なバランスをとっています。

対処療法だと、ますますお互いシーソーの外側に離れていくことになるので、今度は逆。シーソーの内側に歩み寄っていくのです。

これは、夫に歩み寄る、夫に合わせる、夫に媚びる、ということではまったくありません。

むしろ逆!!

なりたい自分に歩み寄るのです。

あなたはダンナさんとどんな関係になりたいですか？

「気難しい夫」に困っているママは、本当は気を遣わずに普通に接したい、気楽な関係になりたい、と願っているはず。

それなら、まずは、**ダンナさんの機嫌を取るのをやめましょう。器の小さな面倒くさい人という扱いをやめましょう。**

もちろんパパは、また機嫌が悪くなることがあるかもしれません。

でも、私たちも機嫌が悪いことなんて普通にあります。

天気が悪くて洗濯物が乾かない!! 生理で体がしんどい。ママ友と揉めて気持ちが凹んでいる。

そんな時だって、私たちが自分の機嫌を自分で直せるように、パパだって当たり前にそれができます。

それに、意見が違うなら、たまには喧嘩になってもOK。

そうやって喧嘩してもまた仲良くなる、そんな家族の中にいるからこそ、子

どもも安心して本音が言えたり、喧嘩になってもまた仲直りできることを知っていくのだと思います。

そして、「子育てに無関心なパパ」に困っているママは、本当はパパにも子どものことを一緒に考えてほしいと思っているはず。

それなら、まずは、**子どものことは私がなんとかせねば！　という自分が采配せねばという意識や執着をやめましょう。**

「ママは自分のことなんか頼りにしていないし、どうせ勝手に思うように子育てするんだろう」という、自分は蚊帳の外という思いになっているパパが意外と多いものです。そのような意味では、ママがパパの役割を奪ってきたという人もたくさん見てきました。

大切なのは、ママがパパを信頼して、分かり合って子育てに取り組みたいという意識。

そして、

「子育てにおいてはパパとママの意見や思い、価値観は違う！」

これを大前提として持っておかないと、どうしようもないことでずっと悩み続けることになってしまいます。

メチャクチャ大切な大前提

大前提として、「子育てにおいてはパパとママの意見や思い、価値観は違って当たり前」です。

この当たり前を当たり前と思っていないから、ママは苦しみます。

最近はお仕事をされているママも多いですが、私たち世代ではまだまだ、社会で戦っている企業戦士のパパ（言い方古い……笑）、子育てはママ、というイメージが強いです。

そうやって**子どもを見ている世界観や視点が違う者同士、子どもへの思いや価値観だって当然違います。**

息子が不登校になり、私が子どもの現実を受け入れ始めた時も、夫はいつまでも納得できないようでした。私はそんな夫に必死で分からせようと、上から目線で言い聞かせたりしていました。

その時の私の思いは、「私は不登校についてたくさん本を読んだ！　私はあなたより何でも分かっているんだ！　私の言っていることは正しいんだ！　だからなんとしても分からせたい！」そんな傲慢な思いがありました。

でも、そうやって夫に話をすればするほど、夫の態度は頑なになりました。

私はずっと夫に対して、子育てについては『戦闘モード』で接していました。

戦闘モードは、「私の正しさを理解させたい！」「勝ちたい！」「分からせたい！」「従わせたい！」という一念で、心でファイティングポーズをとっている状態。

そのため、どんなに丁寧で優しい口調で意見を言ったとしても、私が戦闘モードなんだから相手もファイティングポーズで返してくるのは当然です。

私が「Aを分からせたい！」と思えば、夫も、「いや、Aはおかしい！　B

だ！」となるのでいつまでたっても平行線。交わることはありません。

でも、よくよく考えてみたのです。

私だって、日々悩み、葛藤しながら子どもと接して、本を読んでネット情報も見まくって、自分と向き合って、最近ようやく不登校を受け入れようと思えるようになってきたところだ。私も時間がかかった。

だとしたら、社会に出ているパパがなかなか受け入れられないのは当たり前なのかもしれない。

なのに、エラソーにパパに分からせようなんて、私はなんて身勝手で傲慢で勘違いをしていたんだろう。と気付いたのでした。

私だって今でもツラいんだから、パパだってもっとつらいはず。

だから、「分からせたい」じゃなく、「パパの思いも理解したい」、さらに、「お

互い分かり合いたい」と思うようになりました。

「お互い分かり合いたい」と心から思ったら、本当に嘘のようにスムーズに話ができるようになりました。

この「分かり合いたい」というのは、「お互い意見は違う」ということを分かり合うという意味です。

違うということを前提として分かり合えば、押し付けあうこともありません。

だって、元々好きになって結婚して、かわいい2人の子どもに恵まれ、子どもたちには、

『幸せになってほしい』

親として、ただただそれだけを心から願ってきたはず。

そして、子育てしていく中で、

たくさんのことができたほうがいいから、いろんな習い事をさせよう。
友達はたくさんいたほうがいいから、いろんな経験をさせよう。
いい学校に行ったら選択肢が広がるかもしれないから、たくさん勉強させよう。
できるだけ苦労させたくないから、一番安心で安全で無難なレールの上を歩かせよう。

そう思って、親として、自分たちの考え得るその時の最善を尽くしてきたはず。

子どもが不登校になり、子育てに対する意見の相違があったとしても、『大切な子どもには幸せになってほしい』という根本的な思いは同じなのだとしたら、やはり「分からせたい」より、「分かり合いたい」。

そんな風に思うようになって、私はA、夫はBと思っている。という**意見の違いを前提として、それを分かり合おうという意識で関わると、『戦闘モード』で私から出ていた心のファイティングポーズが、心の握手に変わる気がしました。**

そして、AかBかを押し付けあっていた関係から、AとBを分かり合おうとする関係になると、さらに二人の間からCという新しいアイデアも出てきて、それで一緒にやっていこうという新しい視点が生まれるこ

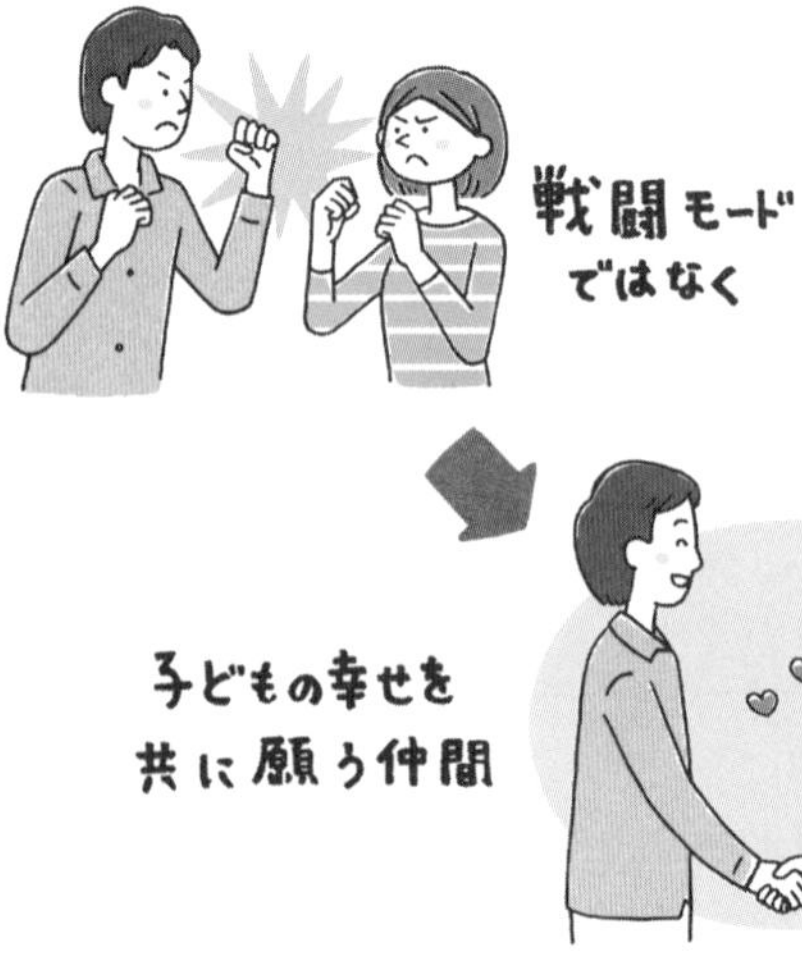

戦闘モード
ではなく
子どもの幸せを
共に願う仲間

ともあるのです。

ちょうど、息子の不登校を私も夫も受け入れた頃、次はノーマークだった娘が高校を辞めると言ってきました（ブログに詳しく書いています）。

その時は、息子の時とちがい、夫婦で一緒に受け入れ、そして、娘の新しい道を応援することができたのは、「子どもの幸せを共に願う仲間」として夫婦で分かり合ったからだと思います。

子どもとの具体的な関わり方を話し合って揉めているご夫婦は多いですが、その前にもっと大切な「大前提」と「大きな方向性」をまず分かり合いましょう。

それに何より、ファイティングポーズより握手のほうがラク！

『戦闘モード』『敵同士』ではなく、『友好モード』『子どもの幸せを共に願う仲間』『協力し合えるパートナー』として関わる。

そして、自分たちの子どもなんだから、子どものことを応援する味方が身近にいると安心感も増し増しです♡

もちろん、『友好モード』で握手なんてムリ！　という方もいらっしゃると思います。

それは、**今までの夫婦関係の歪みの中にあった、見ないようにしてきた課題や積年の思いなど、いろんなわだかまりがあるから。その場合は、まずそれをしっかり直視することが必要となります。**

子どもの不登校をきっかけに、夫婦関係の課題を目の当たりにする方がたくさんいらっしゃいます。もちろん私もそうでした。

先ほども書きましたが、私が目指す居心地のよい家庭は、とてもラクで自然体で心がリラックスできる家庭です。

そして、そんな家庭は、ママ自身がラクで自然体で心がリラックスできていないと成り立ちません。

よく、家庭の中心にいるママがまずは笑顔になろう！　などと言われていますが、これは、ママがまずラクになり幸せになろうということなんだと思います。

そのためには、**自分が家族関係の中で抱えているストレスやしんどさは、誤魔化さずにきちんと丁寧にクリアにしていく必要があります。**

子どもの不登校から夫婦問題に行き当たるママがすごく多いのですが、やはりこれは、避けて通れない課題なんだと思います。

子どもの親として、パパ・ママとしての関わりの前に、まずは夫婦としての

関係性を自分の望むものに変えていく。(シーソーの法則)

夫婦関係が良くなると、親同士としての関係性も良くなるので、子育てに対する夫婦間のストレスがグッと減り、『戦闘モード』から『友好モード』として関わる視点が生まれるはずです。

そうすると、ママがラクに過ごせる居心地のよい家庭にまた一歩近づきます。

子どもが充電できるために目指している、この『居心地のよい家庭＝充電できる家庭』というのは、子どものためだけでなく、自分のためでもあり、家族のみんなにとってリラックスできる居心地のよい家庭であるということです。

そして、大切なことを補足させてください。

私は、夫婦仲良くラブラブになりましょう。とお伝えしたいのではありません。

夫婦がお互い干渉しあわずドライな関係だったとしても、それを望んでいるならそれがその人の理想の夫婦の形。

子育てについても、パパの手を借りずママ一人で取り組んでいたとしても、むしろ、自分の思うように子育てができて満足しているという場合は、それが今の自分が望んでいる形。

夫婦の状況や夫婦の形がどんなものであったとしても、そこに正解はありません。自分にとってラクでストレスのない関係がその人にとっての居心地のよい状態、つまりはその人にとっての正解なのだと思います。

理想の形、心地よい形は人それぞれ違います。

自分はどんな夫婦の関わり方が心地よいのかは自分にしかわからないので、ぜひ自分に聞いてみてくださいね。

シングルマザーもワンオペ育児も

先ほども書きましたが、居心地のよい家庭と言うと、テレビでよく見るハウスメーカーのCMみたいな、リビングに家族が集って、笑い声が絶えず、家事はみんなで協力し合い、みんな仲良く……。

そんな家庭を想像される方は多いと思います。

もしかしたら、「うちはシングルマザーだからその時点で論外ね」とか、「夫は単身赴任中だから一家団らんなんて無理だわ」「私は働いているし、家事もできていないからダメだ」など思っている方もいらっしゃるかもしれません。

でも、私の思う居心地のよい家庭というのは、そのような体裁のことを言っているのではありません。

ダンナさんがいるとか、シングルマザーとか、家族みんな一緒にリビングにいるとか、そのようなことはまったく関係ありません。

一番大切なのは、ママの幸福度！

家族構成、状況なんて、みんな人それぞれ。

その自分の状況を、今自分がどう捉えてどんな気持ちでいるか？

今あなたは、幸せですか？

今あなたは、自分のことが好きですか？

今、誰の顔色も伺っていないか、ファイティングポーズをとっているか、我慢しているか、ツライのか。自分が望んでいる状態で満足できているのか。

ダンナさんが高給取りだとか給料が少ないとか、まっすぐ帰ってくるとか残業続きだとか、家族サービスをするとかしないとか、家事をやるとかやらないとか、そのようなことはまったく関係ありません。

ママの仕事が忙しすぎるとか、家事ができずにお惣菜ばかり買っているとか、部屋が散らかっているとか、子どもと一緒に過ごす時間が一日一時間もないとか、そんなことも関係ありません。

大切なのは、「どんな家庭環境か」ではなく、「ママがどんな気持ちでどんなエネルギーで過ごしているか?」です。

忙しい自分をねぎらいながら、やれることだけ頑張ればＯＫとして自分を受け入れているなら、きっと心はラクでリラックスできているはず。

たとえ、いろんなことを完ぺきにこなせていなかったとしても、ご飯を手作りできなくても心を込めてお惣菜を選ぼう♡　とか、忙しくて子どもと会話できない日はせめて、おやすみだけは伝えよう♡　とか、そうやって自分に優しく寄り添い、自分を許してあげていたら、きっと自分自身ホッとできるはず。

でも、あれもこれも完ぺきを目指したり、子どもに気を遣いまくっていたり、ダンナさんに怒られないよう常に気を張っているなら、状況的にいくら恵まれているように傍からは見えたとしても、ママの満足度、幸福度はとても低い。

逆に、シングルで自分らしく生活できているママなら、満足度・幸福度は高いはず。

つまり、**家族構成や状況はまったく関係なく、これはもうママの心、ママのエネルギーの話なのです。**

是非、シーソーの法則をご自身の生活にも当てはめて、なりたい自分を考えてみてください。

シーソーの法則はすべての対人関係に応用できます。

自分のなりたい対人関係や、自分が心地よいと思える人間関係において、我慢や無理ばかりすることのない状況を作ることが何よりも大切。

そして、ラクで自然体でリラックスしている自分でいられるよう意識してください。

実家の両親との関係

ここで、実家の両親（ママの両親）との関係について書きたいと思います。

子どもが不登校になった時に浮上してくる課題は、先ほど書いた「夫婦問題」だけではありません。

ママは子育てにおいて自分自身と向き合う中で、「自分の母親への思い」についての感情が噴き出てきます。

私もそうでした。

私は、本当に母が嫌いでした。

私のことを全然分かってくれなくて、いつも周りと比べられて、頑張っても
ちっとも認めてくれなくて……。ほめられないけれどよく怒られた。
いつもなんでも、〇〇しなさい、□□しなさい、と過干渉で私の思いを尊重
してくれなかった。

だから、自分に子どもができた時には「私はそんな親には絶対にならない！」
と思い子育てしてきました。

でも、子どもが不登校になり、そこから自分と向き合う中で、
私は、母のように、〇〇しなさい、□□しなさい、とダイレクトには言ってこ
なかったけれど、うまく〇〇に誘導してきた、本人の意思を尊重しているフリ
をして、実は私が選んでほしい□□を選ばせていた！

実は私も、結局は母と同じようにしていたという驚愕の事実。

私はこれに気づいた時、とてもショックで、とても凹みました。

でも、さらにすごいことに気づいたのです。

それは、私の子育ては失敗だったのかと自分を責めながら、ずっと遡って自分の子育てを思い返していた時でした。


私はダメだったのか？

私の子育てはサイテーだったのか？


いや！ 私はいつだって、その時の最善を尽くしてきたはず。

あの時の私には、自分が生きてきた中で身についたやり方以外持ち合わせていなかった。

だから、子どもが苦労しないように、まっすぐの道を進めるようにと私なりにいつも考えていた。

失敗したりコケたりしないようにと手出し口出しもした。

将来何かの役に立つように、たくさん武器を持っていたほうがきっと生きやすいし幸せなはず。

それが子どものため！

そんな思いから、その時の自分に考え得る一番いいと信じる選択肢を常に子どもに示してきた。

私は子どもを苦しめたくて子育てをやってきたんじゃない。

私は子どもにいっぱいの愛情を持って、いつも真剣に子育てをしてきた。

私の子育ては間違いだった！　と、罪悪感と自責の念に苛まれていたところから、

「私はいつだって子どもが大切で、愛していて、宝物で、誰よりも幸せになってほしいと願ってきた。

そして、いつだって自分のベストを尽くしてきたんだ！」
と今までと真逆のことに気づいたのでした。
さらに、
「これは、私の母もそうだったのかもしれない！」と。

母だって、愛情を私に注ぎ、精一杯の子育てをしてきた。そして私は今、ステキなダンナさんとかわいい子どもに恵まれ、幸せな家庭を築く、そんな大人に成長した。

子どもの不登校をきっかけに、私自身の精一杯の子育てと子どもへの想いを肯定できたことで、40代半ばになってやっと自分の親を肯定することができたのでした。

そうして、かなり長引いた反抗期がようやく終わりを向かえました。

そして、長年母の想いを何もわからず否定していたことに対して申し訳ない気持ちも湧いてきました。

よく考えてみたら、父も母も、いつだって、私や子どもたちのことを大切にしてくれている。私がどんな時も子どもを受け入れようとしているように、私の母も、娘であるこの私をどんな時も受け入れてくれているんだ。ということにも改めて気づきました。

母は私を愛していない、という歪んだメガネで見ていたところからの私の敵対心でしたが、ファイティングポーズは一気に消滅しました。

今まで四十数年持っていた母へのわだかまりが、解けた瞬間でした。

私は、自分の子育てを振り返り、今ならもっといい子どもへの接し方ができるはずだけれど、その時はその時の自分の引き出しの中から、子どもにとって一番ベストと思えることを選択してきた。

そして、愛情いっぱいで精一杯子どもを育ててきたんだ！　と、自分の子育てを肯定することで、子どもに対しての罪悪感が消え、本当にいい子に育ってくれたと感謝の気持がわいてきました。

さらに、母も私に対して同じ思いで育ててくれていたんだ！　ということに気づくことができ、両親への感謝もあふれてきました。

誰もが皆、はじめての子育て。

私は１０００人育てました！　なんてママはいないし、子育てのプロもいない。どのママも手探りで自分のベストを尽くしている。

その中で、反省すべきところに気づいたら、一つひとつ改めていく。子育ては常にそれの繰り返しなのだと思います。

私も母も、世界中のママたちがきっとそうなのです。

不登校の子どもとパパとの関係

さて、次は父子の関係にうつります。

「不登校の子どもを理解しないパパ」と「パパに敵対心を持つ子ども」の関係というのはよくあります。

しかも、そのような時のママは、「悪いパパ」「かわいそうな子ども」という見方をしている場合が多く、そのような位置づけにいるパパはいつまでも子どもを理解せず、子どもも敵対心を持ったままです。

この場合、ママは間に入ってうまく仲を取り持つ、仲裁する、2人が揉めないように常に気を遣う、などされている方も多いと思います。

でも、これもシーソーの法則でいうと、パパと子ども2人の関係をママが余計に遠ざけているだけの、その場が穏便に済むための対処療法にしかなりません。

大切なのは根本的な関係性を変えること。

この場合も、やっぱりまずは**夫婦関係がカギ**になります。

悪いパパ、厳しいパパという見方で子どもから遠ざけたり、子どもの事をなんとか分からせたい！　と思っていても、悪いパパという立ち位置にいる限り分かってくれるわけはありません。

パパといい関係を築きたいなら、まずは、「子どもの幸せを共に願う仲間」「協力し合えるパートナー」として、パパと接してください。

そして、ママ自身が子どもと喧嘩しても子どもを嫌いになったりはしないように、パパだって同じ。

パパと子どもだって大丈夫！　と、パパのことをまず信頼してみてください。ママがパパのことを信頼せず、心も開かず、腫れ物扱いしていたら、子どもだってパパのことを信頼できないし、心も開けないし、いつまでも怖がります。

子どもに望むことは、まずママから取り組んでみてください。

前述していますが、パパが怖い、信頼できないなど、今までの夫婦関係の歪みの中に積年の思いやわだかまりなどがある場合は、まずはそれをしっかり直視し、根本的な関係性を見直すことが必然となります。

ワークの驚愕の解説

さて、先ほど116ページでワークに取り組んでいただきました。

子どもに何を望んでいますか？
子どもにはどんな風に育ってほしいですか？
子どもに伝えたいことは何ですか？

ちなみに、私が、息子が不登校になった時に願ったことはこれでした。

●自分を大切に自分らしく生きてほしい。
●自信を持って、ありのままの自分で胸を張って生きてほしい。

●自分はそのままで素晴らしい人間なんだということを知ってほしい。
●失敗してもいいから、どんどんチャレンジしてほしい。

皆さんは何を願っていますか？

ちなみにワークで書いていただいたこの願い、実は、これは、「子どもに願っていること」ではなく、「自分に願っていること」なのです！

自分自身の課題、自分の理想、自分が満たされていないこと、それを子どもに無意識にのせて願っているのです。

自分がそうしたい。それをしたらきっともっと幸せなはず！　と気づいているから、子どもにそれを願っているのです。

たとえば、

●幸せな結婚をして、優しいパートナーと良好な関係を築いてほしい。
●たくさんの友達を作って楽しい人生を送ってほしい。
●周りから大切にされ、お姫様の様に生きてほしい。

などを子どもに願うママの中には、自分がその理想のように生きてらっしゃる方もいらっしゃいましたが、

厳しいダンナさんとの関係に悩むママ
自信がなくて、友達付き合いを諦めているママ
仕事でも家庭でも虐げられ、召使いのようになっているママ
など、今の自分の状況に不満を持つママが、

これがあれば自分の人生はもっとステキなはず！　という自分の理想や、自分ができなくて諦めていること、つまりは自分の課題を子どもに託しているケースも多く見てきました。

これだと、子どもにはとても重たいです。

それに、身近にいるママが自分の身を犠牲にして、人に合わせて我慢ばっかりして、自分を粗末にしながらただただ周りが穏便にいくようにという生き方をしていたら、子ども

だって、身近に接してきたママのそんな生き方をモデルにします。
そして、また自分の家族ができたときに、思うように行かない自分の人生を、子どもに託すことになりかねません。

だからこそ、まずママは自分で自分の願いを叶える必要があるのです。

だから、もし自分の夫婦関係に不満があるのだとしたら、まずは自分がその課題に取り組むことが大切です。

そして、たくさんの友達を作ってほしいと願うなら、まずは自分が友達を作って楽しく過ごせばいいのです。
そしたら、子どもも自然に、「友人がいると楽しそう！」「ママを見ていたら対人関係に希望が持てる！」「自分も友達が欲しい！」と思うかもしれません。

さらに、周りから大切にされたいと願っているなら、まずは自分が自分を粗末に扱うことをやめなければなりません。

自ら、人に合わせたり、顔色を見て機嫌を取ったり我慢ばかりしていると、シーソーの法則でいうと、相手はあなたを「そんな人」として扱ってきます。

子どもに望むことは、ママの自分自身への願いです。
まずは、ママが自分でその願いを叶えてあげましょう。

ちなみに、私は、不登校の最初のころに願ったことは、

●自分を大切に自分らしく生きてほしい。
●自信を持って、ありのままの自分で胸を張って生きてほしい。
●自分はそのままで素晴らしい人間なんだということを知ってほしい。
●失敗してもいいから、どんどんチャレンジしてほしい。

これらを自分の課題として取り組みました。

ちなみに今、子どもたちへの願いは？　と聞かれたら、うーん、今は具体的なことは何も思いつきません。

「それぞれが望むステキな人生を歩んでね」これだけかもしれません。

子どもに重たいママの願い・課題を託さずに、子どもには自分の人生、自分のために、自分の叶えたいことを叶える人生を歩んでもらいたいですね。

そのためにも、ママはやっぱり自分で自分を幸せにしましょう。

『子どもの幸せが私の幸せ。私はなんだっていいの』は呪いの言葉

最近、いろんな人のセッションをさせていただく中で、つくづく思うことがあります。

「子どもの幸せが私の幸せ！」

というママが時々いらっしゃいますが、これは、とても重たい呪いの言葉なのかもしれないということです。

これって、子どもにとっては、

「ママの幸せはあなたにかかっているの。だから、しっかりね！」

と言われているようなもの。

それを、大切な大好きなママに言われたら……。

子どもは、自分がうまくいっている時は、自分がうれしいだけでなく、ママのことも喜ばせることができてとても幸せな気分になれる。

だけど、うまくいかない時、自分はとてもツライ。なのに、さらにママまで悲しませていると思ったら、二重で苦しくなる。

ママへの申し訳なさ。
期待に応えられない自分の不甲斐なさ。
劣等感、罪悪感、焦燥感……。

ママの幸せが自分にかかっているなんて、子どもにとったらたまったもんじゃない。

特に、ダンナさんとうまくいっていなかったり、友達がいなかったり、我慢ばかりしていたり、自分自身の人生が満たされていないと感じているママは、ますます子どもに入れ込んで、「あなただけが私の人生の希望なの」と、子どもの人生に寄りかかってしまいます。でも、ママの人生の幸せの責任を押し付けたら、子どもは本当にしんどいです。

ママは、「子どもの幸せが私の幸せ」などとと言って自分の幸せを子ども任せにしないで、ママ自ら幸せになりましょう。

そのためにも、子どもに託している自分への課題（ワーク）、これをまず、自らクリアしていきましょう。

子どもとの関係

パパにだけでなく、子どもにも腫れ物扱いして気を遣っているママはとても多いです（こうやって考えると、ママは無自覚で本当に周りに気を遣い、常に気を張っているのです！）。

子どもとの関係も、シーソーの法則が当てはまります。

子どもを腫れ物扱いしている理由は、機嫌よくしていてほしい、怒らせたくない、揉めたくない、というパパへの腫れ物扱いの理由とほぼ同じだと思いますが、不登校の子を腫れ物扱いするのは、「ひきこもりになってほしくない！」があると思います。

さらに、不登校でなくても、学校に行きしぶる子どもや不機嫌な子どもにママが機嫌をとってしまうのは、「学校を休まれたら困る」「不登校になってほしくない」というのがあったりします。

これは、**どんなママでも持っている恐れの感情で、その根底には「今より悪い状況になってほしくない」があるので、自分の努力（腫れ物扱い）でキープできるなら必死で頑張って機嫌も取るし、気遣いもしてしまいます。**

でも、これもやっぱり対処療法で、こんなことは、当然長くは続きません。

最初のほうに書いた『学校に行かせるために私がやってみたこと（30ページ参照）』と同じで、**手法は違っても、「腫れ物扱い＝機嫌を損ねないようにする」というやり方で、必死で子どもをコントロールしているのです。**

そして、シーソーの両端に寄り過ぎている限り、そのやり方は必ず限界がきます。

そのため、これも根本的な関係性を見直すことが大切。
子どもにはどんな子になってほしいと願っていますか？

きっと、
「自分のことはきちんと自分で考えて、自分のために行動できる子」
「疲れてしんどくても自分の機嫌を自分で直して、心を整えられる子」

なはず。

それなら、シーソーのママの立ち位置は、機嫌を取ったり腫れ物扱いすると
ころではありません。

「信頼して、葛藤から立ち上がりまた歩き出すのを見守る」

ママがシーソーでそんな位置にいると、対極にいる子どもは、

「ママに信頼されている自分は、きちんと考え自分で決め、責任ある行動をし、自分の人生を前向きに生きる」

そんな自覚を持つのだと思います。

なりたい家族関係になる

なりたい家族関係は人によって微妙に違うと思いますが、

信頼しあっている。
一緒にいてラクで安心感があり、ホッとリラックスできる。

これは皆さん共通していると思います。そして、

●夫がもうちょっと優しかったら、ラクで安心できるのに⬇厳しい人だから機嫌をとらないといけないし、全然リラックスできない。
●子どもがしっかり学校に行って頑張ってくれたら信頼できるのに⬇不登校の子どもを信頼なんてできない。

などと思っている方もきっと多いと思います。

でも、現実はいつも自分の設定どおり、前提通りの現実を見せてくれます。

夫を厳しい人として機嫌をとっているから自分はいつになってもリラックスできない。子どもを信頼していないからいつまでも信頼できない状況を子どもは見せてきます。

これはシーソーの法則でも説明しましたが、なりたい関係性に向けて、まず自分から一歩進んでみることが大切。

自分のなりたい関係性、自分は夫との関係でどんな妻でありたいか、どんな親子関係で、どんな母でありたいか。

それを自分にあてはめて、再度この章を読み返してみてくださいね。

第5章

不登校の子どもが前をむくために

子どもを信頼できない理由

前述したように、子どもを信頼できないママはとても多いです。

私も、不登校になった子どもを、それでも大丈夫！　なんて全然信頼できませんでした。

では、**なぜ私が子どもを信頼できるようになったのか？**

それは、私が自分のことを信頼できるようになったからです。

先ほど、ワークのところでも書きましたが、

●自分を大切に自分らしく生きてほしい。

●自信を持って、ありのままの自分で胸を張って生きてほしい。

●自分はそのままで素晴らしい人間なんだということを知ってほしい。
●失敗してもいいから、どんどんチャレンジしてほしい。

子どもに対して願っていたことは、実は自分自身の課題だったということが分かった時に、親である自分ができないこと、やろうともしないことを、子どもにやれ！　なんて、傲慢で勝手すぎるということに気付き、「まずは私がやろう！」と思い、この課題に取り組みました。

まずは、

「自分を大切に自分らしく生きる」

これについては、先に書いたように、夫婦関係・親子関係の中で、上辺の対応や取り繕うことをやめました。

世間の常識と照らし合わせて、どうすべきか？　という視点や、私が我慢すればいいだけ、とか、こうしたほうが穏便にいくだろう、うまくいくだろうということを基準に考えることもやめました。

そして、**私はどんな関係性になりたいのか？　私は本当はどうしたいのか？　という自分の気持ちを大切にし、そのために私はどうしていくかを考えるようになりました。**

そして、シーソーの法則で書いたように、私がなりたい自分に歩み寄ることで、家族関係はどんどんラクで楽しいものになり、私がまず元気になり、さらに家族が元気になっていきました。

そんな家庭の中で、息子の不登校で苦悩して弱っていた私自身のエネルギーもどんどんたまってきました。

66ページに書いた③の元気回復、私自身の充電完了です！

この時、①の元気の源（エネルギー）が満タンになると、②の前向きな行動力・気力・パワーが自ずと湧いてくる！　ということを、私の身をもって実感しました。

さらに、身も心も元気になると、ぼやけていたやりたいことが輪郭を増し、やる気と勇気がどんどん湧いてきたのです。

私はこれで確信しました。

心身が疲弊している子どもも、こうやって元気になってまた前に歩いていくんだということを‼

そして次の、「失敗してもいいから、どんどんチャレンジする」という課題。

これは、失敗したくない私には今まで全然できていないことでした。

自分ができてないことを息子に望んでいた（笑）……。

臆病でカッコつけだった私は、いつも、これはうまくいくか、成功するか、そんなことを計算して、そして勝算のあることだけチャレンジする。以前はずっとそんな感じでした。

これは、子どもたちにもそんな風にさせていました。

失敗や挫折も立派な経験なのに、うまくいくと確信している成功体験ばかり積み重ねることを目指していました。

でも、私は今のこの活動をするにあたり、子どもはまだ不登校という状態で、資格もノウハウもないまま勇気を出して一歩を踏み出しました。そして、なんの肩書きも使わず、私のままでやっていこうと決めました。

うまくいくかどうかなんてわからない。

誰も来てくれないかもしれない。

でも、来てくれなくて失敗して笑われてもそれでもいい。
自分のやってみたい！　を叶えたい！
そう思ってスタートしました。

そんな私が、ブログ・セッション・お話会・講座・オンラインサロンと一歩一歩進んでいき、今こうやって出版までさせていただけるのも、やはりあの時、勇気を出した最初の一歩目があったからだと思っています。

今も、自分のやりたいという気持ちを必ず叶えるために、なんでもチャレンジしています。もちろん、失敗もします。
以前は、「成功したら得・良い・カッコいい」「失敗したら損・悪い・恥ずかしい」と思い、何をするにも一歩が踏み出せませんでした。

でも今は、

失敗も成功も、結果はただのおまけ。
もちろん、うまくいけばうれしいし、失敗したら落ち込む。
だけど、
自分のために一歩踏み出してみる勇気を持てたことや、やりたいと思ったこと
を経験できること自体がもう大成功♡
今はそう思っています。

いろんなママのお悩みを聞いていると、

「○○に興味があるけどなかなか踏み出せない」

「□□をやりたいとは前から思っているけど、もうちょっとリサーチしないと」

「一泊二日で一人旅に出たいけど、なかなかねぇ」

などとおっしゃる方がいらっしゃいます。

○○なんて周りで誰もやっていない。

うまくいくかどうかわからない。

リサーチして絶対大丈夫と分かるまで石橋を叩いて叩いて、叩きすぎて割っちゃう。

もし□□をやってみたら、結局お金と時間の無駄で全然おもしろくなかったという結末になるかもしれないし、一人旅に出たら、その間、パパと子どもがまた揉めるかもしれない。


でも、もしかしたら、メチャクチャ楽しくって、なんであんなに迷っていたんだろうって思うかもしれないし、パパと子どもの距離が縮まるかもしれない。

さらに、もしかしたらその経験が天職につながることだってあるかもしれないし、人生を変えるような出会いがあるかもしれない。


なのに、ママがそうやって考えてもわからない結果にばかり捉われて、臆病になってチャレンジを恐れていると、不登校になった子どもに、

「失敗してもいいから、どんどんチャレンジしてほしい」

こんな理想、全く通用しません。

一旦不登校になって、その学校にまた再登校するなんて、並大抵の気力じゃ無理なはず。それこそ、私たちのチャレンジよりももっと勇気もパワーも必要です。

私たちができないことを、子どもに、「やれ!」って言っているのは、全く説得力もないし、とても理不尽なことなのかもしれません。

だからやっぱりママからなのです。

子どもに望むことは、まずはママから!

私もそれに気づいてからは、ずーっと自分で決め、自分で覚悟し、チャレンジし、トライ&エラー&トライを繰り返して今までやってきました(詳しくはブログをご参照ください)。

そんな中で私は、自分のために勇気を出して行動し、失敗したらまたしっかり体も心もエネルギーチャージし、必ずそれを次のチャレンジにつなげ、自分の覚悟を無駄にせず、ずっと前を向いてやってきました。

すると、こんな40過ぎた私がこうやって意欲的に人生を作っているのだから、まだまだ若い息子なんて、エネルギーがたまってやりたいことができたら、なんだってエネルギッシュに取り組むはず!

だって、私だってこんなにトライして人生を楽しんでいる。

そして、望む人生を作っている。

だから、息子だって大丈夫だ!

こんな風に心から思えるようになりました。

きっと何もチャレンジせず、ただただ息子はいつ動くのか？　と息子を見張りながら待っていた以前の私なら、人をうらやみ、自分を嘆き、ずっとしんどいままだったかもしれません。

そしたら、息子に対しても、人生は自分でいつからでも作っていける！　なんて思えなかっただろうし、学校に行けなくなったことに失望し、未来に絶望し、息子を信頼なんてできないままだったと思います。

もし、子どもを信頼できないというママがいらっしゃるなら、それはきっと自分のことも信頼していないのかもしれません。

自分を信頼できない人に、他人は信頼できないのです。

だから、まずは自分を信頼しよう。
そのために信頼できる自分になろう。

そしたら、自分にできたことは、必ず他人にもできます。

私は臆病で失敗を恐れる自分を卒業し、頼もしい自分になりました。自分のために自分で勇気を出して行動した私。私にできたんだから、息子にもできる！（まだ10代。希望の魂♡）

そうやって、自分を信頼できたら、息子のことも自然に信頼できました。

皆さんも、自分の課題が分かったら是非、自分のためにその願い叶えてあげてくださいね。

そして、そんなママの背中を見ている子どもには、わざわざ何かアドバイスをしなくても、前向きなエネルギーやチャレンジしようとする強い思いがちゃんと伝わっているものです。

それと、**私は何も「大きなことにチャレンジしましょう」と言いたいのではありません。**

あまり難しく考えず、ちょっと興味があるけど今まで躊躇していたことや、私なんか無理と諦めていたことなど、小さなことからやってみてください。

私は、フラワーアレンジメント教室やパン教室やお料理教室にかなり長い間通っていました。子どもが不登校になった時、精神的にしんどくて全て一旦休会したのですが、子どものことが落ち着いて、また再開しようかというタイミングで、すごいことに気づきました。

実は、私はそれらのお稽古事に全く興味がなかったということを（笑）

元々習い始めたきっかけは、大好きなお友達に一緒にどうかと誘われたから。それまでの私は、何に関してもチョー他人軸で、自分の意見も持たず自分自身がなく、空気を読んで、人に合わせて、「なんでもいいよ」が口グセでした。

そのあと、じゃあ一体私は何が好きなんだろう？　って考えてみましたが、その頃の私はそれが全くわからず、やりたいことも出てこなくて、私の心のセンサーはどれだけ錆び付いているんだ……と、自分自身に愕然としたことがありました。

過去の私のように、家族や周りに合わせてばかりで自分がよくわからないという方もいらっしゃるかもしれませんが、皆さんも大丈夫です！

私も、息子から意識を離して自分の時間を作ってみたり、なりたい家族関係を構築して自分をラクにしようと取り組んだりしていく中で、私の心も自由に元気になっていき、心のワクワクセンサーも次第に取り戻していきました。

先ほどから書いている通り、是非、ワークの課題を自分自身のために取り組んでください！

こうなれば幸せになれる！　と信じて子どもに託していたってことは、それは自分にとって、間違いなく幸せになるためのカギってことですよ♡

子どもに対して、何を目標にしている？

子どもは不登校になると、昼夜逆転、ご飯を食べない、ゲームばかりする、風呂に入らない、歯を磨かない、など、生活が乱れる子が多いです。

以前お会いしたママですが、不登校は小学4年生から6年間、もう中学3年生になっている子のことで相談にいらっしゃいました。

聞くと、「早寝早起き、３食食べる、ドリルは１日10ページ、それがきちんとできたらゲーム３時間ＯＫ」という生活を、不登校初期からずっと続けていました。小学４年生の時は算数と国語のドリルだったのが、中学になり英語と数学になった、変化はそれくらいで、気が付けばひきこもり生活は６年も経っていたということでした。

私も不登校初期は息子の生活が乱れるのが嫌で、厳しく管理していました。なぜかというと、きちんとした生活さえしていたら、学校に行く気になった時またいつでも戻れると思っていたからです。

でも、あることに気づき、管理をやめオールフリーにしました（詳しくはブログに書いています）。

そしたら、息子はどんどん生活が乱れていき、昼夜逆転、ゲームやり放題、ご飯は食べない、勉強しないという、一番嫌だった生活に突入しました。

時間制限されていたゲームがやり放題になって、何日も寝ず、ご飯も食べず、ずっと画面を見ていた時には本当に怖くなった記憶があります。

ご飯もきちんと食べなくなり、ジャンクフードをたまに口にするだけ、チラッと見えた体はあばら骨が浮いていた時期もありました。

しかし、ゲームを時間制限していた時はゲームに執着していましたが、オールフリーにしたら最初こそ夢中だったものの、そのうち、いつだって自分のやりたい時にやりたいだけできると分かったら、ゲームをしていない時間も増えてきました。

さらに、身体にブツブツができた！　と言い出し、目も悪くなったのが自分で気になりだし、やせ細った体にも危機感を持ち、自ら規則正しい生活に変えると言ってきて、食事は野菜たっぷりの栄養のあるものを作ってほしがり、おやつはプロテインバーになるなど、本当に生活が一変しました。

すべて、**本人が自ら体感して実感して、乱れた生活をやめたい！　きちんとしたい！　と思ったからこそ、自分の意思で生活を変えました。**

また、**生活が整うと心も整ってきました。**

本人の希望でさらに自分を整えたいからと武道も習いはじめました

そして、その気になれば生活は自分できちんと変えることができると分かったらまた昼夜逆転にもなりましたが、学校に行く！　と決めた時には、前日までの昼夜逆転のまま、その日は一睡もせずに学校に行き始め、翌日からまた規則正しい生活に戻りました。

きちんとした規則正しい生活の延長線上に再登校がある、と思って、規則正しい生活にこだわるママは多いですが、**規則正しい生活と登校は一切関係がありません。**

これは、再登校した子を持つセッションに来てくださったママやサロンのママも実感されていて、ただ、エネルギーがたまって、目的が決まって、勇気とヤル気が湧いてきたら、勉強も友達も昼夜逆転もそんなこと関係なく、行きたくなれば突然行きます。また、そのために、自ら、生活や心や身体を整えようという意欲も湧いてきます。

先ほどの6年間規則正しい生活を続けているお子さんについては、早寝早起きしてドリルを10ページやれば、今日もゲームをさせてもらえる、ということだけを目標にして日々過ごしている感じでした。

それだと、ただの**「規則正しい生活をする不登校」**を目指していることとなり、そこからの進展はありません。

本来は、自立し、自分で考えて、自分で決め、自分のために行動することが目標なはず。

確かに、規則正しい生活を日々していればママも安心だと思います。でも、ママの日々の安心感を満たすため、そして、子どもにとったら、今日も3時間ゲームをさせてもらうため、という目先の目的を満たしているだけになります。

子どもにはどうなってほしいですか？

エネルギーのことも是非頭の隅っこに置きながら、大きな目標を忘れないようにしてくださいね。

子どもが居心地のよい家庭は、家族にとっても居心地のよい家庭

シーソーの法則で書いたように、夫婦関係、母子関係、父子関係は、すべて絶妙なバランスで平衡を保っています。

もし、ママが、パパや子どもに不満やしんどさを感じているのだとしたら、それは無理なバランスを必死でキープしているということ。

それに気づいたら、まずはママが自分のなりたい関係性の立ち位置に（シーソーの一歩内側のほうに）歩み寄ってください。

先ほども書きましたが、夫婦関係については、自分が心地よいと感じる理想の形は人それぞれ違います。夫婦ラブラブを望む人もいれば、お互い干渉し合わないドライな関係を望む人もいます。

ただ、今の関係性に不満やしんどさがあるというなら、そこには改善の余地があるということ。

自分はどんな夫婦関係になりたいのか、ぜひ自分に聞いてみてください。

ママが気を張らず、頑張らなくても我慢しなくても快適でいられる関係性を、パパ、子ども、それぞれと築くことができたら、対応や声かけを意識しなくても自然に関われるし、ママのストレスはずいぶん軽減されます。

そしてそれは、パパや子どもにとってもラクでリラックスできる関係性なのです。

そんな家族関係、そんな家庭はとても居心地がいいです。

そして、子どもがまた本来のエネルギーに戻るための、充電できる安心な充電スポットとなります。

そして、そんな中でエネルギーがあがってくると、子どもはほっておいても前に歩きたくなります。

本来子どもはとてもパワフルです。

エネルギー満タンな子は、やる気に満ちて、自分のやりたいことのために頑張る気力や勇気を持ち合わせています。

だから、**子どもが本来のそんな状態になるためにママにできることは、家庭を充電スポット化することです。**

先ほど、不登校をガソリンがない車に例えましたが、私は分かりやすく説明するために、よく、登山に例えてお話しします。

必死で頑張って山登りして、極限まで頑張るうちに疲労骨折してしまっていた。もう歩けない。

そんな状態が「不登校」。

疲労骨折したら、まずは傷の回復を待ちますよね。

傷が回復したら、またその山にチャレンジしたくなるかもしれないし、違う山に登りたくなるかもしれない。

もしかしたら、もっと本気で登りたくなる山が出てくるまで、もうちょっと時間がほしいという気持ちになるかもしれない。

これが不登校だとしたら、一旦充電して傷を癒す、再出発のために心身を整えるという時間はやっぱり必要。

疲労骨折で動けなくなった直後に、なんとかまた登らせようとしたり、この山がダメなのならと、別の山にすぐチャレンジさせたりはしないはず。

不登校だと、とにかく行かせようとしたり、なんなら別の山なら登る

かな？　と転校させてみたりするけれど、やっぱり山が変わったところで、登っている子ども自身が疲労骨折したままだと、その登山も失敗に終わってしまいます。

私がお会いしたママのお子さんは、ほぼみんな相当頑張ってきて、人間関係・勉強などをきっかけに、ついに力尽きて不登校になったという子が多いです。そして、すぐ転校させてみたけれど、そこでも通えず、ますます子どもの罪悪感や劣等感が増して……、というパターンも見てきました。

だから、**不登校になったら、まず心身の元気を回復することが次のステップに進むためにも必要で大切です。**

それさえすれば、自分で決めた方向に自分で進んでいく子をたくさん見てきました。うちの子もそうです。

今までの学校にまた再登校するようになる子もいるし、自分で決めた別の道にチャレンジする子もいます。

そして、**自分で決めて自分の意思で進んでいる子は、それがもし失敗しても、きちんと自分の責任として結果を引き受け、それをまた糧にして次に生かしていきます。**

先ほども書きましたが、「トライ&エラー&トライ」です。

私がいつも意識しているのは、

●みんなラクで自然体でリラックスできる関係性であるために、人の顔を見るのではなく、自分がどうしたいのかを意識する。
●失敗したら凹んで休んでいいし、またチャレンジするなら精一杯サポー

トする。自分もサポートしてもらう。

●喧嘩しても家族はまた仲良くなれるし、誰も嫌いにならないから安心して喧嘩してもいい。

こんな家庭にしたいと私は常々思っています。

そしたら、しっかりエネルギーも充電できるし、安心してチャレンジも失敗もできます。

さらに、喧嘩になっても大丈夫と知っていたら、ちゃんと本音で話しあえるし、子どもも大切なことは相談してくれるはずです。

そして何より、人の顔色を見たり周りに無理に合わせるということをせず、ありのままの自分でOKというのは、本当に楽ちんです。

不登校の子は基本的に繊細で、ＨＳＣ・ＨＳＰの気質の子が多く、さらに頑張り屋さんで、いろんなことを無理して我慢している子が多いです。

きっと立ち止まってしまったのは、ママも子も、もっと楽な生き方をしていいよってサインなのだと私は実感しています。

つまり、とりあえず学校にさえ行けば解決ということではありません。

取り繕わず、人の顔色を見ず、無理や我慢ばっかりせず、そのままの自分で生きていくということをまずは「家庭」の中で実感することが何より大切！

なぜなら、「家庭」が社会の中で一番最小単位、一番基本となるコミュニティだから。

そしてそれは、これから先の学校生活や社会生活、今後の長い人生において、人の顔色を見たり、無理や我慢ばかりして取り繕わず、自分らしくもっとラクにのびのび生きていくということに繋がっていきます。

これは、

「自分を大切に、自分らしく生きてほしい」

という、私のワークの課題でもあります。

皆さんも、是非、ご自身の理想の居心地のよい家庭、そして、なりたい自分を目指してくださいね。

それが結局、子どもにとっても、また笑顔と元気を取り戻す安心の居場所になります♡

あとがき

皆さま、本書をお読みいただきありがとうございました。

「不登校」


それは、私の辞書にはなかった言葉。

息子が不登校になった時にはまさに青天の霹靂で、本書の前半にも書きましたが私は右往左往していました。

これは夢じゃないだろうか？

目をあけたら状況が変わっているかも。

そんなことを願いながら毎朝起きました。


リアルな現実に向き合う中で、苦悩と葛藤の気持ちが落ち着いてきた頃、ちょうど4年前にブログを始めました。

ブログ『rikaの子育て♡幸せはここにありました』

➡https://ameblo.jp/hayrika1117/

これまでの経緯やそこからの思いを自分なりに整理しておくため、自分のための記録で、「不登校になってしまった子を持つ苦悩するママ」として、4年前の私はそこからスタートしました。

4年後の今、まさか自分がセッションや講座をさせていただいたり、自分のオンラインサロンを運営したり（170名在籍　2021年1月現在)、さらには出版までさせていただくことになるなんて、これだって以前の私からしてみれば、不登校同様、青天の霹靂、まったく想像できないことでした。

私たちは誰だって体調や気持ちの浮き沈みがあるように、パワーがなくなったら不登校になることもあるし、パワーが湧いてくれれば、40代でも新たなことにチャレンジできるのです。

それは、うちの子どもたちを見ていてもそう感じるし、セッションを受けてくださった方やサロンメンバーやそのお子さんを見ていても確信しています。

だから、**今学校に行っていない子どもだって、元気がないママだって同じ。**

身も心も元気になってくれれば、前向きな思考もできるし、目標が定まります。

さらに、**一歩踏み出す勇気が湧いてくると、様々なことにエネルギッシュに取り組んでいけるようになります。**

子どもが不登校になった。

そんな時、親は解決のために何かできることはないだろうかと必死になります。

でも、**残念ながら、私たちは子どもに、やる気や勇気をあげることはできま**

せん。また、目標だって与えることはできません。

そして、「失敗してもいいからチャレンジしろ！」と言葉でわからせることもできません。

ですが、気力や活力の元になるエネルギーチャージできる家庭を目指すことはできるし、やりたいことに勇気を出してチャレンジするママの背中を見せることはできます。


だから、ママは、まずは自分のマインドを整えて、自分を元気にして、自分のエネルギーを上げて、自分を笑顔にしましょう。頑張って笑顔になるんじゃなく、笑顔になるくらい自分をハッピーにしましょう。

そのために、ダンナさんや子どもとの関係を、ラクでリラックスできる自分が望む関係に作り変えていってください。

ママがリラックスできる家庭は、結果的には家族みんながラクでリラックスできる居心地のよい家庭で、エネルギーチャージできる家庭です。

年齢が上がると子どものコミュニティは広がっていくので、エネルギーチャージできる居場所は家庭だけではなく、「仲間」「恋人」「サークル」「グループ」「信頼できる友人」など、自分にとっての快適な居場所はどんどん増えてきます。

でも、それらのコミュニティをまだ持たない子どもの現実生活においての居場所は家庭。そのため、本書では家庭について主に書かせていただきました。

また、子どもの不登校については、安全安心の一本道から外れてお先真っ暗と感じているママがいらっしゃるかもしれませんが、私はそうではないと思っています。

元気になれば、今いる所の四方八方、３６０度すべてが道になって、すべてが新しい選択肢になります。もちろん、また学校に通い出すこともあるし、新たな世界にチャレンジすることもあります。

そのためにはやはり、まずはママがエネルギー満タンで元気になりましょう。

そして、そんなママはきっと子どもを安心して見守ることができるし、信頼されている子どもは自分で考え、自分の意志で、しっかり前に歩いていきます。

子どもたちの人生はまだまだこれからです。
そして、私たちママの人生も。

私もうちの子ども達も今まさに、その道中を楽しんでいるところです。

私はこれからも、セッション・講座・コースを受けてくださる方やサロンメンバー、そしてこの本を読んでくださる方、さらにそのご家族が、ますますハッピーである♡と設定して、出会いとご縁を大切にしていきたいと思っています。

オンラインサロン『rika's cafe』
➡https://ameblo.jp/hayrika1117/entry-12536797673.html

最後になりましたが、小田編集長、このたびはステキな本に仕上げてくださり本当にありがとうございました。

本を執筆するにあたり、「私は何の肩書きもなく専門家でもないド素人だ」と相談したら、「経験は千の知識に勝る。れっきとした専門家だよ」と言ってくださり、自信を持って執筆することができました。

そして、原稿をお渡しした時、「内容もそのままいこう」と言ってくださり、今回書きたかったことを全て盛り込むことができました。

また、担当の阿部さん、私に寄り添ったサポートをしてくださり、心から感謝しています。

本当にありがとうございました。

r・i・k・a

【著者プロフィール】

rika

ハッピーママ♡サロン「rika's cafe」主宰
不登校・中退などを経験した2人の子の母で、自身の葛藤や気づきを綴ったブログが注目される。リーディングセッションやコース・講座・セミナーなどを提供。3年半で延べ1,700名のママが受講。
運営するオンラインサロン「rika's cafe」では、ママも家族もハッピー♡をコンセプトに、親子関係・不登校ひきこもり・子育て・夫婦関係・エネルギーの整え方、心の整え方など様々なことを配信。
また、普通の主婦から自分の望みを一つひとつ叶えてきた経緯、なりたい家族関係を構築した経緯についても、望む未来をつくる手帳講座・自分と向き合うノート講座にて配信。

◆ブログ「rikaの子育て♡幸せはここにありました」
https://ameblo.jp/hayrika1117/

◆インスタグラム
https://instagram.com/happyrika1117/

◆オンラインサロン「rika's cafe」
https://ameblo.jp/hayrika1117/entry-12536797673.html

カバーデザイン／横田和巳（光雅）
イラストレーション／小瀧桂加
本文デザイン・DTP ／向井田創
校正協力／伊能朋子
編　集／阿部由紀子

子どもが不登校になったら読む本
すべて解決できる〝笑顔の処方箋〟

初版1刷発行 ● 2021年2月22日
5刷発行 ● 2022年4月1日

著者
rika

発行者
小田 実紀

発行所
株式会社Clover出版
〒101-0051 東京都千代田区神田神保町3丁目27番地8 三輪ビル5階
Tel.03(6910)0605 Fax.03(6910)0606 https://cloverpub.jp

印刷所
日経印刷株式会社

ISBN978-4-86734-008-0 C0037